D0756049

Fragments de paradis

Du même auteur

Je suis né un jour bleu, Les Arènes, 2007
Embrasser le ciel immense, Les Arènes, 2009
L'Éternité dans une heure, Les Arènes, 2013
C'est une chose sérieuse que d'être parmi les hommes, traduction
de poèmes de Les Murray, L'Iconoclaste, 2014
Mishenka, Les Arènes, 2016
Chaque mot est un oiseau à qui l'on apprend à chanter,
Les Arènes, 2017
Portraits, Blancs Volants, 2018

P. 9, la citation du *Baiser* de Tchekhov est tirée de *Une plaisanterie et autres nouvelles*, Rivages, 2014, traduction Bernard Kreise.
P. 95, la citation de «Kubla Khan» de Samuel Taylor Coleridge est tirée de *Poèmes*, Aubier-Flammarion, 1975, traduction Christian La Cassagnère.

Les Arènes
17-19, rue Visconti, 75006 Paris
Tél : 01 42 17 47 80
arenes@arenes.fr
www.arenes.fr

Daniel Tammet

Fragments de paradis

LES ARÈNES

Ce devait être là, autour de la longue table de cuisine de ta maman – car c'était pendant l'un de ces interminables déjeuners français, et les artichauts ne se trouvent guère dans les restaurants –, que tu lanças pour la première fois, à mon sujet : « Daniel est chrétien. »

« Chrétien » ou « croyant », peu importe.

Et tous les regards de se tourner vers moi, ton ami anglais rougissant.

J'ai hoché très légèrement la tête en guise de confirmation. Je me trouvai sans voix. Je n'avais jamais entendu parler de moi ainsi (ni en français, ni en anglais), et le ton taquin, sinon incrédule, avec lequel tu avais prononcé ce mot – sans parler du blanc embarrassé qu'il suscita dans l'assemblée – me laissa perplexe quant à ta motivation, tant tu me fixais avec le sourire, d'un œil bienveillant.

Peut-être voulais-tu simplement lancer la conversation à table, la faire courir sur d'autres rails, moins empruntés. Ou peut-être était-ce ta façon d'être, curieuse et bon enfant, qui te faisait secouer un peu ma timidité pour que je prenne la parole.

Quand j'y repense aujourd'hui, huit, dix ans après, il ne me reste que cette réaction à fleur de peau et penaude, comme pour t'empêcher de ne serait-ce qu'effleurer le thème religieux. Et je me demande ce qui avait causé en moi une telle réticence. Si, ce jour-là, j'éprouvai une certaine appréhension à répondre, ce n'était en aucun cas une question de honte. Bien sûr, il n'y a pas de honte à avoir. Chacun sa foi ou son absence de foi. Pour ta part, tu es cartésien jusqu'au bout des ongles; tout ce qui ne se prête pas aux microscopes, aux équations: des chimères. Et pourtant, tu te laisses éblouir par les vitraux d'une cathédrale; la quiétude te gagne quand nous déambulons côte à côte dans un jardin japonais; tu frissonnes toujours aux premières notes de ton prélude de Bach favori. De mon côté, si j'ai une sensibilité religieuse, je partage aussi avec toi un goût pour la raison, les sciences, le débat.

Nous sommes depuis revenus plusieurs fois sur le sujet – que l'on retrouve en filigrane dans nombre de mes livres –, mais cette première réaction à tes mots, à la question «pourquoi crois-tu?» qui s'y cachait, fut telle que tu attendis longtemps avant de t'y risquer à nouveau. Nos échanges m'auront finalement aidé à y réfléchir.

J'ai un rapport compliqué à la foi. Je n'appartiens à aucune congrégation. Un mot comme «christianisme» peut provoquer, dans la tête d'une lectrice ou d'un auditeur, bien des images qui ne me correspondent pas le moins du monde. C'est pourquoi je voudrais que cette lettre soit à la hauteur d'une telle complexité. D'autant plus que, comme déjà à l'époque du déjeuner, j'ai la réputation d'un autiste savant, un jeune homme capable d'exprimer clairement sa manière peu commune de voir les choses.

Être à la hauteur d'un phénomène qui nous traverse : voilà qui m'évoque une nouvelle de Tchekhov que j'ai relue récemment. Le héros du *Baiser*, un jeune capitaine modeste, vit une bouleversante aventure intérieure. Un soir qu'il s'ennuyait lors d'un dîner mondain, il sentit passer sur sa joue les lèvres d'une douce inconnue, qui disparut aussitôt. Personne ne se rendit compte de rien : le mystérieux baiser devint son secret. Il en rêva plus tard dans son lit et, au petit matin, ne cessa de passer en revue les sensations inédites de la veille : le parfum de la propriétaire des lèvres, que la proximité avait rendu si fort et si sucré ; le frisson à côté de sa moustache, à l'endroit même où le baiser avait été déposé ; l'envie soudaine de danser, de courir devant tout le monde, d'éclater de rire. À la tombée de la nuit, autour d'un feu de camp et de quelques verres de kvas, il se confia à ses camarades : «Il raconta avec force détails l'histoire du baiser, et au bout d'une minute il se tut... Durant cette minute, il avait tout raconté, et il fut terriblement surpris qu'il ait fallu si peu de temps pour ce récit. Il avait l'impression qu'il pouvait parler jusqu'au matin de ce baiser.»

Ce qui lui était arrivé lui semblait indicible. Le dire, ou même seulement tenter de le dire, revenait à trahir toute l'épaisseur de son expérience. Telle est pour moi la leçon de ces pages. Raconter notre vécu, si riche, si particulier, demande un temps infiniment plus souple que celui du quotidien ; une minute, ou dix, ou cent, n'y peuvent suffire autrement que dans un texte. Un contexte. Seule la plume parvient à restituer ce que la bouche étouffe.

S'écoulent encore en moi ces soixante secondes du *Baiser*.

Tant que j'habiterai cet autre temps, je pourrai enfin m'aventurer à te répondre. Du moins te montrerai-je, dans les lignes qui suivent, les coulisses de ma foi, les moments marquants de ma jeunesse qui l'ont rendue possible. Et sans quoi les mots ne disent rien. C'est le défi que je me lance. Cela tombe bien, j'ai quarante ans, partagés assez équitablement entre deux périodes : la non-croyance et son étonnant antipode. Cela donne de la perspective. Me voici donc assis, non pas à une table de cuisine, de bistro ou de café, mais à mon bureau, la tête penchée sur le papier, dans la position révérencieuse de qui tient son journal intime. Ou d'un adepte de ces longues correspondances d'autrefois. C'est ainsi que je t'écris cette lettre avec pour seul timbre celui de ma voix.

I

COULISSES

« Nous vivons en avant, mais nous comprenons en arrière. »

Søren Kierkegaard

Tous mortels

J'ai découvert l'hiver de mes dix ans ma mort certaine.

C'était en 1989, dans un quartier pauvre de l'est de Londres où j'ai passé toute mon enfance et mon adolescence. À l'intérieur d'une petite maison déjà pleine de sept (bientôt neuf) enfants, où nous laissions très souvent la télévision allumée. Ce jour-là, une émission que je ne connaissais pas emplissait l'écran de voitures noires et de foules denses. Les images, nous disait-on, arrivaient du Japon. Je ne savais pas grand-chose de ce pays. Seulement que les Japonais n'écrivaient pas comme les Anglais, avec des lettres, qu'elles soient attachées ou pas ; qu'à notre pain de mie ils préféraient le riz ; je connaissais le nom du poète Bashô et celui de la capitale Tokyo pour les avoir lus dans une encyclopédie à la bibliothèque. Luisantes de pluie, les voitures noires roulaient lentement. Les visages dans la foule ne souriaient pas. Puis l'on vit une sorte d'énorme boîte en bois clair, sur les épaules d'hommes en pyjama, qui renfermait quelque chose.

À la une des journaux parus le même jour, un drôle de mot : Hirohito.

13

Mes parents m'expliquèrent précautionneusement ce que je venais de voir, m'apprirent ce que c'était pour quelqu'un d'important de mourir et d'être enterré. Et lurent l'étonnement dans mon regard. J'avais peine à le croire. Je me disais : alors, c'est comme ça, là-bas ? Au Japon, tout le monde meurt, même l'empereur meurt.

Quelle n'a pas été ma surprise quand, quelque temps plus tard, j'appris que mon grand-père maternel venait lui aussi de succomber à cette étrange maladie asiatique : la mort. Mon grand-père ! Naturellement, j'aurais dû le voir venir. Il était de constitution fragile, avait du mal à respirer, ses poumons ne fonctionnaient pas bien. Il était vieux. Mais tu sais, je l'avais toujours connu vieux, plus ou moins souffrant, et, à l'enfant que j'étais, cela paraissait normal. Aussi normal qu'à mon grand-père de me trouver nain. Sa canne m'arrivait à mi-buste.

Je l'ai vu pour la dernière fois à l'hôpital. Un samedi de printemps. Il s'est redressé quand ma mère et moi sommes entrés dans sa chambre. Rien – ni les murs blancs, ni le lit sur roulettes – ne m'a choqué. Même sa blouse me semblait tout à fait convenable pour un grand-père. Une infirmière nous a salués. Elle m'a rappelé celle qui avait soigné mes crises d'épilepsie quand j'avais quatre ou cinq ans (avoir des ennuis de santé, je le savais, n'était pas réservé aux personnes âgées). Nous avons posé une bouteille de sirop d'orgeat sur sa tablette. Il en a bu une gorgée. Je ne me souviens plus de quoi ma mère et lui ont parlé. Debout dans un coin, les contemplant, je suis resté silencieux. J'avais un peu peur de lui. Je l'aimais.

Il mourut. Du jour au lendemain, son visage rougeaud, sa haute silhouette chauve s'évanouirent. Ses lunettes perdirent leur raison d'être, et sa canne la main qui la promenait dans la rue. Cette main à laquelle il manquait un doigt (cela aussi me semblait assez normal à l'époque, un truc de grand-père) : je ne la reverrais plus jamais tenir sa tasse de thé au lait. Jamais plus je n'entendrais sa voix enrouée de vieil homme.

Je compris enfin pleinement ce que l'enterrement de l'empereur japonais à la télévision avait signifié : nul ne vit, et vit, et vit, sans fin. La vie s'arrête un jour ou l'autre, partout, pour tous. Pour ma mère, mon père, mes frères, mes sœurs. Pour moi. Et pour toi. C'est, dit-on, dans l'ordre des choses.

Impossible de revenir en arrière, de désapprendre la mort pour retrouver mon innocence : je faisais désormais partie de son grand cercle d'initiés. Face à elle, mes parents n'avaient pour toute ressource que leur résignation. Ils vivotaient au jour le jour et ne croyaient en rien – rien –, même pas en l'argent, même pas en l'avenir, même pas au progrès. Quand, sur le petit écran, une vedette de cinéma vantait les mérites de la pensée positive, ma mère s'écriait : « Regarde-moi ça, ce sont des histoires à dormir debout. » « Des bêtises ! » renchérissait mon père quand un homme politique promettait des lendemains qui chantent, ou tel ou tel scientifique un prototype de voiture pliante. Ils avaient assurément horreur des soi-disant experts. Ils pointaient, outre leur apparence comique (une cravate trop longue ou un motif criard), leurs grands discours rarement suivis d'effet. (Mon père, quoique lui-même grand amateur de chemises, de ces chemises légères et bon marché qui se repassent facilement, n'aura jamais mis de cravate de toute sa vie.) Ils mangeaient tranquillement les œufs et le beurre que leur déconseillait le ministère de la Santé. Et se fiaient à leur fenêtre pour savoir quand sortir le linge à sécher – peu importait l'avis des messieurs météo.

Héritage

Il va sans dire que mes parents n'avaient que faire de la religion. Ils témoignaient envers les croyants la même indifférence railleuse qu'ils réservaient aux experts, aux puissants, aux riches. Selon eux, écouter un pasteur, une femme endimanchée, c'était écouter des âneries. Il valait mieux ne pas perdre une grasse matinée à prier. Et garder à distance tout rituel, toute activité paroissiale, y compris les plus populaires – exception faite de mon baptême (curieux privilège d'aîné). D'ailleurs, aucun de nous ne suivit de cours de ce que tu appelles le catéchisme.

Si bien que nous fûmes élevés, à notre insu, en athées de quatrième génération. Il faut remonter à un

arrière-arrière-grand-père, un Écossais d'Ulster du nom
de Richard McGhee, pour retrouver trace de notre pro-
testantisme originel. Et pour comprendre comment la
foi de toute une famille peut soudainement disparaître.
L'histoire de ce McGhee, je l'ai découverte seulement
à l'âge adulte, au hasard de recherches généalogiques.
Elle m'a enfin permis d'éclaircir ce qui s'est passé entre
mes ancêtres et leur Dieu, dans un village anglais perdu,
il y a un peu plus d'un siècle.

Un temple chic, ceint de prés anglais verdoyants,
au banc d'honneur d'une famille noble, l'une des
plus prestigieuses du pays : c'est ici que mon trisaïeul
a passé ses derniers dimanches. Pourtant, cette haute
place, rien ne l'y prédestinait. Richard McGhee, fils de
George McGhee, naquit en 1836 (ou 1835 ou 1837, je
n'ai pas retrouvé les registres d'état civil) à Ardstraw,
un hameau irlandais comptant cent cinquante âmes.
Les habitants y étaient paysans, tisserands, charpen-
tiers. J'ignore lequel de ses métiers McGhee père exerçait. Comme lui, son garçon parlait l'anglais avec un
fort accent du nord, et comme lui il ne reçut que peu
d'éducation. Père et fils, à l'instar du reste de la population, eurent souvent faim : les Irlandais d'alors, tout
britanniques qu'ils étaient, devinrent, faute de patates,
un peuple famélique. Dans les années 1840, la famine
fit un million de morts et autant d'exilés. Richard,
une fois majeur, s'embarqua pour le comté anglais du
Yorkshire.

Il s'engagea dans l'armée (l'Angleterre ainsi que la France se battaient en Crimée) et fut envoyé derechef au champ de bataille. Là-bas, il fut blessé, je ne sais pas où ni comment, puis rapatrié. Il reprit l'uniforme un an plus tard, en 1857, quand les Indiens se soulevèrent contre la Compagnie anglaise des Indes orientales. Puis parcourut, en 1868, des centaines de kilomètres dans un paysage de vallées et de montagnes, pour libérer un groupe d'otages en Abyssinie.

Lors de ses expéditions lointaines, sans doute écrivait-il à ses parents restés en Irlande ; des lettres que je n'ai pas lues mais que j'imagine bavardes. Devaient s'y dessiner le désert infini, le bruit des moustiques et des mousquets, les huttes en boue et en bois des indigènes, les rangées d'éléphants de Bombay dont l'ombre ambulante parfois le reposait d'un soleil rouge et bas – écrire pour mieux taire ses angoisses, ses cauchemars et sa honte. J'aimerais croire qu'il était perspicace et qu'il avait fort bien compris que, si la guerre employait autant les hommes, c'était parce que des enjeux économiques – plus que la menace d'ennemis – le réclamaient. Apparemment, c'était un homme assez doux. Sur l'un des rares documents que j'ai pu consulter (son arrêt de démobilisation daté du 21 septembre 1875), on lit qu'il a toujours fait preuve de « bonne conduite » et était doté « d'un très bon caractère ». Je me le représente au milieu d'une contrée sauvage scrutant le ciel par un soir étoilé, l'air songeur, quelque peu désillusionné, la conscience lourde. Récitait-il, par moments, le Notre

Père de son enfance? «Pardonnez-nous nos offenses comme nous pardonnons aussi à ceux qui nous ont offensés.» Espérait-il une Nouvelle Création? Portait-il, dans la poche de son uniforme, à côté de sa pipe, une bible avec, çà et là, soulignés, ses passages favoris? En 1875, il devait avoir une quarantaine d'années.

À quoi ressemblait-il? Je n'ai aucune photo de lui, aucune description physique sauf celle, brève et sèche, qui figure sur son bilan médical de la même année: «Un mètre soixante-quinze, cheveux châtains, yeux bleus.» Un homme marié à une domestique de dix ans sa cadette et un père de famille du sud de l'Angleterre. Mais rappelle-toi que nous sommes dans les années 1880, un demi-siècle avant la découverte des antibiotiques. Sa famille s'était agrandie avant de rétrécir, quand sa femme, puis sa fille aînée, précocement, décédèrent. Le veuf envoya son fils et sa fille restante (mon arrière-grand-mère) vivre à Londres, chez une tante.

Sa famille, c'était surtout, depuis quelque temps, celle de son nouvel employeur: le lieutenant-colonel sir Charles Shelley, cinquième baron de Castle Goring et neveu du grand poète romantique Percy Bysshe Shelley (dont la femme, Mary, est l'auteur de *Frankenstein*). J'ignore par quel chemin il devint majordome. Est-ce une annonce passée dans un journal, du genre «militaire démobilisé cherche position, vingt et un ans de service, de bon caractère» qui scella ses dernières décennies? En tout cas, il réussit à séduire le baron par sa belle prestance, son accent chantant, ses multiples médailles et ce qu'il avait glané de connaissances en vin, en mode vestimentaire, auprès de ses officiers. La résidence, dans le Hampshire : un manoir de brique dans le style géorgien, composé de nombreuses pièces qui donnaient sur le parc alentour, très hautes de plafond, décorées de lustres, de boiseries, chacune possédant une cheminée en faïence. On y trouvait aussi une salle de bal immense, une orangerie, une bibliothèque.

Tu imagines, quel privilège pour quelqu'un qui aime lire, d'avoir accès à une telle bibliothèque ! Que de trésors attendaient, derrière la porte, les heures libres de mon ancêtre, quand la maîtresse du manoir et son mari partaient pour un long week-end ! Un jeune valet (ou un cocher) l'y aurait surpris s'il avait osé y entrer. Je vois l'arrière de sa tête, désormais plus gris que châtain, tandis qu'il fouille dans les rayons ; ses joues couleur porto ; l'embonpoint sous son uniforme noir et blanc de majordome. Il prend un volume relié de bougran brun – l'auteur : Percy Bysshe Shelley. Il s'assoit dans le fauteuil de monsieur le Baron, les fenêtres ouvertes sur le jardin, et déguste, dans une odeur de jasmin, les vers célèbres du poète : «*Nought may endure but mutability*» (rien ne dure sinon la mutabilité). Au bout d'une demi-heure, ou d'une heure, émergeant peu à peu de sa lecture, je le vois se lever. Il remet soigneusement l'ouvrage à sa place. Il retourne à son travail, à son rang.

Seul le temple, tout près du manoir, pouvait lui offrir, quelquefois, le dimanche, de pareils moments; lui assis avec la famille Shelley sur le banc d'acajou, le pasteur debout et lisant à haute voix un psaume, un proverbe, un passage du Cantique des cantiques. Il aimait les mots qui chantaient la vie de l'individu, ses hauts et ses bas, mettant en relief l'aventure humaine. Mais le prédicateur, un homme sans présence, sans grande expérience du monde, ne s'exprimait que machinalement. La musique, les images se dégageaient avec difficulté de ses prêches. Richard s'assoupissait d'ennui un sermon sur deux.

Son siècle s'acheva, son heure approcha. En 1901, la reine Victoria mourut. En 1902, ce fut le tour du baron, puis l'année d'après celui de son fidèle serviteur Richard McGhee. C'était l'été et juillet sentait fort le jasmin. Sur son lit de mort, mon ancêtre demanda qu'on fasse venir un pasteur. Mais pas celui du temple, celui du village d'à côté. Quelqu'un qu'il appréciait tout particulièrement, un ancien maître de lettres classiques, un homme de culture, un grand connaisseur de l'œuvre du poète Shelley. Et c'est à lui qu'il souffla ses derniers mots.

Un drame s'ensuivit, parce que le pasteur du temple avait été froissé. Drame dont l'écho se fera entendre jusque dans la presse américaine et australienne. Voici ce qu'il s'est passé. Le jour des obsèques, le 14 juillet 1903, alors que les villageois étaient en noir, les drapeaux en berne et que des couronnes couvraient presque entièrement le beau cercueil en chêne, le pasteur du temple refusa de sonner le glas. Ma bisaïeule et les autres membres de la famille tentèrent d'abord de le raisonner poliment, puis hurlèrent qu'on leur ouvre le clocher. Ils le mirent à la porte et s'improvisèrent carillonneurs. Dans le campanile, tandis qu'ils tiraient sur les cordes, ils songèrent à toutes les guerres dans lesquelles le défunt s'était battu : ah, ces bêtises de guerres et de curés ! Les cloches retentissaient, tout le village les entendait. Quasimodo lui-même n'aurait fait pareil bruit !

Ils sonnaient le glas de leur religion.

Une crèche vivante

De mes aïeux pieux, il ne me restait qu'un petit air de famille insoupçonné ; et mon seul lien avec l'Église, c'était l'école. Celle où j'allais se trouvait à un jet de pierre de ma maison : une école publique des plus banales pour l'époque. Chaque matin, les élèves se réunissaient dans la grande salle, écoutaient en bâillant le bla-bla du directeur, remuaient leurs jambes croisées et chantaient à tue-tête des hymnes sacrées. Nous étions alors trop petits pour voir la religion derrière tout cela. Un mot comme «*the Word*» (le Verbe) servait simplement de rime à «*blackbird*» (merle). Le «*Lord God*» (Seigneur Dieu) marquait seulement l'endroit où la dame au piano se trompait de note. On se laissait bercer par ces vers qui se répétaient avec emphase :

Give me joy in my heart, keep me singing.
Give me joy in my heart, I pray.
Give me joy in my heart, keep me singing.
Keep me singing till the break of day.

(Mets-moi de la joie au cœur, que je continue à chanter.
Mets-moi de la joie au cœur, je t'en prie.
Mets-moi de la joie au cœur, que je continue à chanter.
Que je continue à chanter jusqu'à l'aube.)

Nous récitions souvent ce passage. Le chant commençait normalement par une autre strophe, dans laquelle « l'huile », « ma lampe » et « brûler » se substituaient à « joie », « cœur » et « chanter », mais dont je ne garde aucun souvenir. Sans doute les professeurs avaient-ils préféré la supprimer, craignant de nous encourager – d'une métaphore incomprise – à jouer avec le feu. De toute façon, nous répétions ce que nous entendions sans trop y réfléchir. Certains chantaient sans rien comprendre aux mots qu'ils articulaient. Je pense au refrain :

Sing hosanna, sing hosanna,
Sing hosanna to the King of kings!

(Chante hosanna, chante hosanna,
Chante hosanna au Roi des rois!)

«Sing Susanna», psalmodiait l'une des petites filles assise à côté de moi.

Le Roi des rois. Lui, au moins, nous savions de qui il s'agissait. Autour de lui s'articulait tout notre spectacle de Noël : une crèche vivante. Ce spectacle, c'était le clou de l'année scolaire. Dès le mois de novembre, les élèves le préparaient, le répétaient, répartissaient entre eux les rôles en fonction de la taille des uns, du désir des autres. Les grands se voyaient en anges ou en mages ; les petits, comme moi, plutôt en bergers. Les moins intéressés optaient pour la figuration et les boules de coton des moutons.

Pour bricolée qu'elle fût, la crèche rencontrait invariablement chez les parents un vif succès. Ils venaient nombreux pour nous applaudir. De derrière le rideau, les apprentis comédiens, pour tromper leur trac, les cherchaient des yeux, espéraient un sourire, un geste d'encouragement. On ratait une réplique. On perdait une aile. Peu importait. L'excitation culminait au moment où la poupée en plastique faisait son apparition. On la posait à même les planches, au centre de la scène. Elle était nue, excepté un lange blanc ; et, comme un aimant, elle attirait sur elle tous les regards de l'assistance, même les plus las, cyniques ou moqueurs. Moi, costumé en berger, une serviette sur la tête, quand j'apparaissais avec le troupeau et m'approchais du baigneur, je me sentais plus léger : comme débarrassé des regards que ma maladresse naturelle attirait. Tout le temps que je restais là auprès de lui, je me sentais invisible, invincible. J'aurais voulu alors que le monde devienne cette crèche. Que ma présence au quotidien, parmi les autres enfants, soit aussi anodine ; être enfin reconnu en qualité d'ami potentiel ; être admis au spectacle de leur vie commune.

Les mots démiurges

Décidément, non, je n'étais pas apaisé. C'est peu dire que j'étais un garçon pas comme les autres. Et plus je réfléchis à mon enfance, plus je ressens cette solitude si particulière – celle de ne pas comprendre comme tout un chacun les choses qui nous entourent et qui nous construisent : les mots et les nombres, le cours du temps, la durée d'une vie ; toutes ces choses dites « ordinaires », qui vont de soi, qui sont à l'arrière-plan et qu'il faut laisser faire, mais que je ne cessais au contraire d'interroger, d'explorer, de sonder. Dans mon esprit, des couleurs, des images, des émotions précises se dégageaient : tout un savoir intuitif dans lequel je me perdais. J'étais souvent ailleurs, en pleine rêverie. Je rougis aujourd'hui en pensant au papillonnement de mes doigts, sous mon menton, tandis que je m'efforçais de rassembler toutes ces sensations différentes. Revenu à moi, je plaquais mes mains extravagantes sur mes hanches. Ou les remettais à la lecture – j'avais toujours des livres à tenir, des pages à tourner – pour les occuper, les assagir.

Qu'aurais-je fait sans livres ? Ils m'ont tellement nourri. Ceux que nous avions à la maison n'étaient guère nombreux, mais imprégnés de l'histoire familiale. Des livres sur les étagères du salon, que mon grand-père recevait autrefois de son club de lecture : des récits d'espionnage d'Ian Fleming, un Maigret en traduction anglaise, des romans comiques comme *The Darling Buds of May*. Des contes d'Andersen qui avaient appartenu à ma mère, enfant. Dans le placard de mes parents était rangé un volume poussiéreux – offert lors de mon baptême – que je ne vis qu'une seule fois : *Holy Bible, New International Version*. J'étais encore un écolier. Ils l'avaient posé sur leur lit, ce livre couleur châtaigne avec, éparpillés tout autour, des tas de vieux cartons et papiers. Ils devaient être en train de faire de la place à une nouvelle valise ou un futur cadeau d'anniversaire. J'étais entré demander quelque chose et suis resté silencieux, assis au bord du lit, à proximité de l'ouvrage. Je le feuilletai. Une inscription au Bic bleu donnait la date de mon baptême : juin 1979. J'eus le temps de remarquer à quel point ce livre pullulait de chiffres – des chiffres qui n'étaient pas des numéros de page ni de chapitre. Mes parents attendirent un instant, debout, que je le remette là où je l'avais trouvé ; puis ils le rangèrent. Il n'a pas survécu à nos multiples déménagements.

Il me faudra attendre encore quelques années et la rencontre dans la rue d'un monsieur qui distribuait des bibles pour lire l'histoire de la tour de Babel ; celle d'un jumeau affamé qui troque son droit d'aînesse contre un plat de lentilles ; celle de l'amour d'un jeune prince d'Israël pour son rival ; celle de mon homonyme. En somme, toute une littérature. Ces histoires m'étaient déjà en partie familières, j'en avais lu de semblables durant mes années bibliothèque. Sans elles, les rayonnages auraient été à moitié vides. Les fables des frères Grimm, les poèmes d'Emily Dickinson, les pièces de Shakespeare leur doivent beaucoup. Moi, qui me suis construit en lisant tous ces auteurs, aussi.

C'est drôle, à mesure qu'on grandit, les mots rapetissent dans nos livres. On passe d'un mot par page à deux ou trois cents. Des mots si serrés que les gens finissent par les oublier : le masque de l'intrigue ou de l'information les dissimule facilement. Vous négligez leurs formes distinctes, ceux qui ont la même longueur vous semblent tous similaires. Oublié l'effet saisissant des premiers mots que l'on découvre, l'œil ému, en tant que jeune lecteur. Eh bien, cet œil-là, je l'ai conservé. De sorte que, pour moi, sur la page blanche se détache encore, et en couleur, la silhouette singulière d'une lettre, d'un mot, d'une phrase. Disposez-les comme il le faut et s'accomplit alors quelque chose que je ne saurais nommer autrement que l'ordre du divin : la création de tout un univers qui s'ouvre à nous. Dès lors, on se plaît à y faire toutes sortes d'expériences. Et on se demande comment telle ou telle phrase peut dépeindre si fidèlement une tache de soleil sur un mur, de vieilles chaussures qui bâillent, le goût d'un biscuit trempé dans une infusion. À neuf ou dix ans, je décidai de connaître tous les mots, d'étudier l'agencement de leurs combinaisons, autant que possible. De redoubler d'effort dans mes lectures et de prolonger mes heures à la bibliothèque municipale. Une bibliothécaire complice me gardait (pour ensuite me les passer sous le comptoir) des livres pour enfants plus grands que moi ou en avance sur leur âge, des livres aux mots métalliques et rugueux – je m'y réapprovisionnais chaque samedi. Oui, c'était aux mots, non aux personnages, vilains ou héros, que je m'identifiais. Être un cow-boy, le temps d'un livre, ne m'intéressait pas ; je voulais être la nacre et le bel équilibre du mot « *saddle* » (selle).

Bientôt mon érudition paya : je reçus, grâce à la bibliothécaire qui m'avait nommé, le Prix du jeune lecteur de la ville. À la une du quotidien local, une photo de moi en noir et blanc parut à l'occasion de la remise du prix. On y voit un garçon de onze ans (comme l'indiquait la brève légende qui accompagnait la photo) aux cheveux qu'on devine blonds, la coupe au bol. Il sourit, du sourire un peu trop large demandé par le photographe. On y voit aussi sa récompense : une pile de livres au sommet de laquelle sont croisés ses bras menus et où repose sa tête. À en juger par la hauteur de la pile, l'organisateur n'avait pas lésiné sur les cadeaux. BD. Romans jeunesse. Poésie. On imagine combien les parents du garçon devaient être fiers de lui, et je peux le confirmer : ils l'étaient. Pour preuve : le soin qu'ils prirent à plier le journal et à le conserver. Il continue aujourd'hui de jaunir tranquillement dans un tiroir chez ma mère. La pile de livres si haute, les parents fiers ; cependant, je me sentais triste. J'avais bien compris que les mois suivants risqueraient de bouleverser mes habitudes de lecture. Collège. Devoirs. Examens. On allait me demander de lire autrement, de tourner les pages uniquement pour y pêcher les «bonnes réponses». Il me faudrait passer l'âge de jouer avec les mots – à la bibliothèque ou dans la rue. Et je regrettais déjà les automnes où je m'arrachais brièvement à mes livres pour prendre l'air et apprendre d'un arbre.

Lire le monde

Une dernière fois, j'ai longé l'avenue ombragée de marronniers. Un coin vert dans la grisaille du béton que l'automne dorait. Les trottoirs étaient souvent déserts : je me retrouvais seul avec les arbres. Ces mêmes arbres qui, au printemps, s'allumaient de fleurs jaunes et blanches, attiraient les abeilles, hébergeaient les merles. Lors des chaudes journées d'été, je songeais déjà aux futurs marrons qui, dans leur coque, mûrissaient, pendaient, tremblaient ; et tremblait d'anticipation le garçonnet à l'idée de ces fruits bruns, ronds, scintillants. Puis venait le vent frais et fort de la rentrée. Le murmure des arbres. La grêle des marrons – ils tombaient dru. Dans d'autres rues, ou à une autre heure de la journée, d'autres gamins venaient chercher, dans le tapis de bogues éclatées, les plus beaux «*conkers*» (comme on les appelle en Angleterre), les marrons destinés à ce jeu. (Tu ne le connais peut-être pas : il se joue à deux. Le marron de chacun est suspendu au bout d'un lacet. Les enfants, à tour de rôle, font tourner le leur d'un mouvement brusque, dans le but de casser celui d'en face.) Je n'y jouais jamais ; j'avais mon propre jeu.

Malgré leur nombre, je répugnais à trier les marrons. Peu m'importait leur dureté ou leur mollesse : je n'avais pas l'exigence des joueurs de *conkers*, je les ramassais tous, tels qu'ils étaient. Ronds – mais chacun d'une rondeur différente – et agréables sous les doigts, ils dansaient dans mes paumes tandis que je les frottais, les soupesais dans le creux de mes mains : tantôt lourds comme un vers ou une phrase de Kipling, tantôt lisses comme un «*yes*» (oui) ou un «*late*» (tard). D'autres, aplatis d'un côté et généralement plus petits, me faisaient penser aux mots qui se terminent en «t» ou en «d» : les «*ballet*» et les «*week-end*». À chaque forme correspondait un mot ou un chiffre. Pour le six, il me fallait trouver des bruns si foncés qu'ils en devenaient presque noirs. Tomber sur l'ovale du «quarante-neuf» ne m'arrivait que rarement. Certains marrons, côte à côte, constituaient par le hasard de leur chute des poèmes. Tu comprends mieux pourquoi je fréquentais ces arbres. Non, je ne leur parlais pas (comme le prétendaient, paraît-il, les mauvaises langues) : les marrons me parlaient.

Bien sûr, quand des adultes passaient sous leurs branches, la tête ailleurs – dans un magasin, peut-être, ou à un rendez-vous imminent –, ils n'y comprenaient rien et ne prêtaient guère attention aux tas de machins bruns. Ils pensaient seulement à ne pas trébucher sur les méchantes racines exposées, ces maudites grosses racines qui partout broyaient le béton. Là, sur le trottoir fracturé de l'avenue, interdit aux poussettes et aux cannes, ils auraient pu voir, tous les octobres, un garçon blond, à genoux, le nez dans les marrons. M'ont-ils remarqué cette toute dernière fois ? Petit pour mes onze ans, trop grand pour de tels jouets. Étais-je en train d'en ramasser, poignée par poignée, comme ses pierres le facteur Cheval ? Indifférents, ils sont passés vite sans que je m'en aperçoive. J'ai empoché une dernière fois, d'un geste nostalgique, quelques-uns des mots et des chiffres tombés à terre : une petite fraction de tous ceux que j'avais déjà entassés dans ma chambre les octobres précédents. Où étaient-ils passés, ces automnes d'autrefois où je fourrais de mille marrons les poches de mon manteau et de mon pantalon ? Un jour, faute de poches, je m'étais même déchaussé pour remplir mes chaussettes : elles se bosselaient de leur butin. Une autre fois, j'avais tiré mon T-shirt du pantalon, l'avais tenu tendu d'une main, et, de l'autre, l'avais bourré de marrons. Le tissu m'avait fait l'effet d'un grand mouchoir. Quelle vive impression je devais donner aux voisins lorsque je rentrais, cahin-caha à la maison, grossi des kilos de ces fruits incomestibles.

Je savais bien que je ne passais pas inaperçu : les allers-retours incessants entre les marronniers et la maison m'avaient valu quelques moqueries dans la cour de récréation. Je ne bronchais pas, faisais le dos rond, attendais que l'incompréhension des moqueurs se mue de nouveau en désintérêt. L'incompréhension : ce fut aussi la première réaction de ma mère devant cette «lubie». Encore une. Elle avait beaucoup de patience. Dans ma chambre, me regardant remplacer la moquette grisâtre par tous les tons possibles de marron, elle disait seulement : «Tu nettoieras bien tout cela après, d'accord?» Elle et mon père écarquillaient les yeux devant les lignes que je composais au sol après avoir extrait du tas les marrons dont j'avais exactement besoin. Ma mère secouait la tête, mon père souriait. En moi, je crois qu'il se voyait. Lui, petit, avait collectionné les soldats de plomb, en avait fait des rangées sur la table à manger, les disposant d'une manière que lui seul comprenait. Il me comprenait. Sauf que ses rangées de soldats n'étaient rien en comparaison de mes lignes de marrons, qui elles-mêmes étaient peu de chose par rapport à l'énorme tas qui restait. Me résistait. Autant de formes qui n'entraient dans aucune ligne, et dans lesquelles je ne percevais aucun sens. Logique, me disais-je : les différentes formes possibles dépassent de très loin l'ensemble des mots du *Oxford English Dictionary*. Tout comme elles dépassent les nombres dont on connaît le nom. Elles représentaient pour moi des mots étrangers, comme ceux du finnois de ma voisine, ou des mots de l'avenir, ceux que j'apprendrais au collège ou que je comprendrais enfin adulte.

En uniforme trop grand de nouveau collégien, je suis rentré chez moi, la poche de mon blazer lourde des tout derniers marrons. La moquette de ma chambre me parut bien grise. De toute façon, mes parents ne voulaient plus en entendre parler: ces quantités démesurées, automne après automne, avaient fini par les effrayer. Peut-être avaient-ils peur que le plafond du salon, au-dessus duquel je dormais, ne leur tombe sur la tête? L'année précédente, ils en avaient descendu dans le jardin des sacs poubelle entiers, les avaient laissé verdir de mousse sous les averses, les avaient remis à l'éboueur. Quelques jours après être rentré du collège, j'ai trouvé dans l'armoire mon blazer fraîchement lavé, les poches vides.

Le grain du temps

J'étais bon élève, j'étudiais ferme: les conjugaisons dans la classe de Mme Cooper, tous ces «je suis, tu es, il est» et ces «avons, avions, aurons» qui m'ennuyaient profondément mais qui me permettent aujourd'hui de t'écrire dans ta langue. En cours de maths, je découvrais l'existence des nombres infinis, et infiniment divisibles; en histoire, je corrigeais une ou deux dates du professeur. Entre les murs du collège, j'étais un travailleur on ne peut plus sérieux. C'est seulement dans la cour que je me laissais aller aux rêveries, songeant à ce qui pouvait faire lien entre les conjugaisons, les calculs, les chronologies : je contemplais le temps.

Je l'ai toujours trouvé bizarre, ce temps. Prononcez «maintenant», par exemple, ou «présent» et les premières syllabes appartiennent déjà au passé. Faites un tour dans n'importe quelle papeterie, à l'automne, et vous tomberez chaque fois sur des éphémérides claironnant que nous sommes déjà le 1er janvier. Le temps esquive toujours nos tentatives pour le saisir. Heureusement qu'il existe un moyen de le regarder droit dans les yeux.

Je parle des sabliers. J'en raffole. Bien que désormais adulte, je ne me lasse jamais de leur ingéniosité : à travers leurs ampoules graciles et symétriques, on voit s'écouler le mince filet des secondes. En grains fins, les secondes sont vibrantes ; elles glissent et jouent à saute-mouton avec celles qui les ont devancées. Les minutes, peu à peu, s'amoncellent. Et lorsque le spectacle s'arrête, il suffit d'un retournement pour ramener les minutes écoulées à l'avenir.

Une habitude contractée pendant mon adolescence : parcourir les salles de musée à la recherche de sabliers. Au fil des années, j'en ai vu des dizaines : fabriqués au XVIIIe ou au XIXe siècle, avec monture en buis, en argent ou tournée en ivoire, de durées courtes (un quart de minute, voire moins) ou plus généreuses, mais ayant perdu, avec l'âge, certaines de leurs secondes. Il y a seulement quelques mois, j'ai découvert, émerveillé, le musée du Temps de Besançon, ville réputée au siècle dernier pour son horlogerie, qu'elle exportait dans le monde entier. Parmi les sabliers exposés, il y en avait un que j'ai trouvé particulièrement beau : le plus grand, dont la fiole était pleine d'assez de sable rose pour contenir une heure. Sables émouvants...

En été, avec ma famille, nous prenions un car à destination de la côte du Norfolk. Nos bagages bourrés de seaux et de pelles, de tous nos shorts et tongs, de pain de mie pour les sandwichs, de crème solaire. Mon père portait une chemise blanche et un pantalon noir, comme à son habitude. Sa seule concession à la météo estivale : des manches retroussées de quelques centimètres. Notre budget pour les vacances ne nous autorisait que trois ou quatre nuits ; nous dormions dans une bicoque.

Chaque jour, sur la plage, nous bivouaquions, entourés des bedaines nues qui s'offraient aux rayons du soleil. Au loin : la mer à marée basse. Longtemps, elle a semblé ne pas vouloir me porter ; une absence totale de confiance plombait mon corps. Je ne trempais que mes orteils, préférant laisser les vagues aux tourteaux et aux lançons, les profondeurs aux trésors engloutis. Mes yeux s'attardaient là où fouillaient les pêcheurs à pied, un sable gluant, que mes frères et sœurs utilisaient – absorbés, industrieux – pour bâtir leurs châteaux. Couleur jaune pâle comme du beurre ou orange délavé, selon l'heure et la lumière. Cette étendue sablonneuse, avec ses grains à perte de vue, je l'imaginais tout droit sortie d'une collection quasi infinie de sabliers.

Une fois, j'ai observé l'une de mes sœurs tenant un seau en plastique qu'elle posa sur le sol pour le remplir. Une pelletée. Puis deux. Puis trois. À la vue de cette quantité, je fis un rapide calcul : versés dans le bon type de sablier, ces grains pourraient mesurer tout notre après-midi. Ma sœur apporta la touche finale à son édifice de sable en renversant son seau. Cela me donna encore à réfléchir. Je déambulai autour des douves. Après l'avoir passé au sablier, j'évaluai l'étendue que le château représentait et l'estimai à environ une semaine de grains. Sa tourelle, c'était un lundi. Son escalier ? L'intervalle d'une longue sieste. Plus tard, de retour à notre location, je vis ma sœur accroupie au seuil de la porte renverser le sable de ses sandales – assez pour compter une minute – en un rien de temps.

*

De longues minutes, de petites heures – la vie est faite de cette étoffe impalpable. Les jours en semaines, les semaines en mois, les mois en années s'étendent. Imperceptiblement. On appelle cela la vie. Espérance de vie. Existe-t-il plus belle expression française que celle-ci : « espérance de vie » ?

Pendant mes années de collège et de lycée, je n'aurais manqué pour rien au monde le journal télévisé « The Nine O'Clock News » du 21 février. Chaque fois, je guettais l'arrivée d'images familières à l'écran : après un perchiste ukrainien recordman, des scènes neigeuses des JO d'hiver ou l'évocation d'un Américain qui venait de traverser le Pacifique en montgolfière, apparaissait enfin la vieille dame, la belle dame, Mme Jeanne Calment de France, doyenne de l'humanité. Dans sa maison de retraite, elle fêtait encore une fois son anniversaire. Je me souviens bien du premier soir où je l'ai vue à la télévision, elle devait avoir cent dix-huit ans. Puis, chaque année, revenait le même rituel : sa silhouette frêle assise sur un fauteuil ou une chaise roulante ; un gâteau au chocolat sur lequel on avait posé les trois chiffres improbables en caramel ; une cohorte de photographes dont les flashs faisaient cligner ses yeux aveugles. Une peau blanche et fine comme du parchemin, parsemée de veines bleu roquefort. Sous ses cheveux blancs bouclés, elle soufflait, souriait.

On s'étonnait et on ne s'étonnait pas de la revoir devant le même gâteau, année après année, elle qui avait déjoué tous les pronostics, défié les lois de la gravité démographique. Elle vieillissait, vieillissait encore, mais ne mourait pas. La Mort, d'après les farceurs, avait sauté son nom sur la liste, la Mort qui pourtant n'avait pas raté son mari (des cerises sulfatées), ni sa seule fille (une pneumonie), ni son unique petit-fils (un virage, un camion). Les journalistes la surnommaient «l'Oubliée de Dieu». Du milliard et demi d'hommes, de femmes et d'enfants sur terre dans les années 1870, elle était la dernière rescapée, l'ultime témoin.

Accroupi à côté d'elle se tenait un médecin grisonnant bien en chair et en blouse blanche (cela faisait plus sérieux devant les caméras ; je me demande même s'il ne portait pas autour du cou un stéthoscope ou si c'est ma mémoire qui en rajoute). Il était les yeux, les oreilles de la vieille dame. Les mille et une questions des journalistes pouvaient se résumer ainsi : qu'avez-vous de plus, au juste, que les autres mortels ? En y réfléchissant, c'est vrai, qu'avait-il manqué aux autres Français nés le même jour ? Au peintre Charles-François-Prosper Guérin (1875-1939), ce pinceau talentueux, auteur de tant de natures mortes ; à Auguste Eugène Méquignon (1875-1958), entomologiste expert en coléoptères ? Aux centenaires hardis et rares nés la même année, disparus dans la décennie soixante-dix ? Comment voler autant de temps à la mort, le médecin ne pouvait l'expliquer. Ses collègues non plus, ils n'avaient jamais vu pareil cas. Aucun être humain n'était parvenu (ni n'est parvenu depuis) à traverser autant d'années, les investissant les unes après les autres jusqu'à franchir cette frontière si lointaine, à atteindre cette contrée aux conditions si extrêmes que les revues spécialisées la considèrent hors d'atteinte, inhospitalière, irrespirable.

Des gérontologues français, américains, japonais échafaudaient toutes sortes d'hypothèses ou disputaient le bien-fondé de celles des autres, pour tenter d'expliquer cette longévité inédite. Le père de Jeanne, un charpentier de marine, grand et bel homme, décédé

nonagénaire, lui aurait destiné ses bons gènes. Ou pas.
D'autres affirmaient que son mode de vie avait large-
ment contribué à sa santé inoxydable : Mme Calment
avait su garder la ligne, consommé l'huile d'olive de sa
région – mais, de sa petite cigarette du soir après le dîner
ou de son péché mignon, le chocolat (elle en mangeait
par tablettes), ils ne lui tenaient pas beaucoup rigueur.
Elle avait conservé une activité physique régulière. Et
c'est bêtement une chute à l'âge de cent quatorze ans
qui lui coûta l'usage de ses jambes. Pendant cent ans,
bon pied bon œil, elle avait arpenté tout Arles où les
rues grimpent souvent. À noter également qu'elle avait
gardé toute sa tête : le sang battait fort dans son cerveau.
Elle avait un sacré caractère.

D'autres attiraient l'attention sur son bon mariage
avec Fernand Calment – son cousin issu de germain –,
le futur et prospère « directeur du Grand Magasin de
Nouveautés » de la ville. Comme si, grâce aux matchs
de tennis, aux meilleures places à l'opéra et au théâtre,
aux touches du piano sur lesquelles couraient ses doigts
bagués et aux grands dîners préparés par sa servante, elle
avait pu soudoyer le Temps pour qu'il y aille plus doucement avec elle. Comme si le temps pouvait s'acheter.

Quant à moi, qui n'étais pas expert – simplement un
garçon de quatorze ans, puis un adolescent de seize ans,
puis un jeune homme de dix-huit ans –, ce n'était pas
ces théories scientifiques qui m'intéressaient mais
la personne de Jeanne. Je me la figurais dans la fleur
de sa jeunesse, comme au fond d'elle-même elle était

toujours restée, avant que les années ne la rendissent longtemps invisible, puis célèbre. Je l'imaginais jolie fille, notre doyenne, à dix ans, dans sa jupe d'écolière et sur son banc de bois dur, se tenant bien droite. Sous ses mains, des leçons écrites à la craie dont elle blanchissait son ardoise. Encore une dictée issue du bon vieux Victor Hugo ! Elle savait parfaitement épeler le mot « choléra ». Et la grosse voix du vieil auteur, dans la bouche du maître, aurait pu être celle de son père.

Son père vivait du fleuve. Il le lui avait montré sur une carte : le Rhône, d'où remontaient et descendaient les trois-mâts et les chalands qu'il construisait. Ses doigts rougis et encore enduits de mastic, qu'il avait essuyés d'abord avec un chiffon, avaient suivi la longue ligne bleue et vagabonde. Une ligne tendue vers l'océan, sautant plusieurs villes du Sud-Est, dessinant çà et là les boucles de ses détours. Un jour, père et fille se rendirent sur les berges pour la mise à l'eau de sa dernière création. Tout le quartier de la Roquette, à Arles, y assistait. Elle entendit les ouvriers chuchoter en italien, puis son père crier : « Enlevez les épontilles ! » Quelques hommes se mirent à chanter faux *La Marseillaise*. Elle se détourna d'eux, ne faisant plus aucun cas de la barque qui se volatilisait à l'horizon, et plongea son regard dans le tourbillon des eaux. Puis, elle s'avança d'un pas hésitant et sentit la force des vagues, qui fuyaient et qui se perdaient sans retour – des flots gonflés par les pluies de l'hiver, qui étreignaient les Alpes, coulaient sous le pont d'Avignon, pour refléter, quelques instants, son jeune visage interrogateur.

Elle pensait certainement à l'avenir, se demandant à quoi ressemblerait l'an 1900. Cela devait lui paraître si loin! Cet air songeur, cette démarche d'adolescente étaient familiers à tous les gens du centre-ville. «La fille Calment», disaient-ils. Elle-même connaissait tout le monde, y compris le nouveau venu : un peintre hollandais qui puait l'alcool. Rue Saint-Estève, son studio-atelier n'était qu'à quinze minutes à pied de chez elle. Elle l'avait croisé (comme elle s'en souviendra un siècle plus tard) dans le Grand Magasin de son futur mari ; il y achetait quelquefois de la toile. Moche. Mal élevé. Ce sont les mots qui lui venaient à l'esprit pour le décrire. En ce temps-là, il ne s'était pas encore fait un nom. Peut-être l'a-t-elle découvert pour la première fois dans *Le Forum républicain*, quotidien arlésien, daté du 30 décembre 1888 :

> *Dimanche dernier, à 11 heures ½ du soir, le nommé Vincent Vangogh (sic) peintre, originaire de Hollande, s'est présenté à la maison de tolérance n° 1, a demandé la nommée Rachel, et lui a remis... son oreille en lui disant : «Gardez cet objet précieusement.» Puis il a disparu. Informée de ce fait qui ne pouvait être que celui d'un pauvre aliéné, la police s'est rendue le lendemain matin chez cet individu qu'elle a trouvé couché dans son lit, ne donnant presque plus signe de vie. Ce malheureux a été admis d'urgence à l'hospice.*

Si elle l'a lu, elle l'a ensuite oublié. Elle était amoureuse du cousin Fernand avec qui elle partageait tout son temps libre : promenades le long du quai sous les lampadaires à gaz ou dans les rues sur leurs vélocipèdes. Ses habits avaient changé, son corps se transformait. Tout lui semblait aller plus vite. Révolus déjà l'enfance et le fuseau horaire qui la vit naître ; finies les dix-huit minutes de retard qu'accusait Arles sur Paris – elle le comprit le jour où l'on régla chaque horloge sur la toute nouvelle « heure nationale ».

Elle passa de jeune mariée à jeune maman. Et les années défilèrent sous les traits de sa fille, Yvonne. La naissance de celle-ci lui avait fourni de nouveaux points de repère dans le temps : au passé, à l'avant-Yvonne, elle ne pensait plus trop. Et l'avenir, auprès d'Yvonne, lui semblait immense. Un jour, elle eut quarante ans. Où se trouve la lisière de la jeunesse ? À quarante et un ans ? À quarante-deux et demi ? À quarante-trois et trois quarts ? L'âge mûr – la sagesse et les chaussures confortables – commence-t-il avec l'enterrement d'un parent, l'arrivée d'un petit-enfant ? Pour Jeanne, souvent de sortie, il arriva le jour où elle ne sentit plus sur elle le regard doux des passants. Brusquement, elle était devenue une petite dame quelconque. Transparente. Une vieille ? Elle ? On lui disait au début qu'elle faisait jeune. Puis, de plus en plus souvent, on lui demandait son âge (ou elle le donnait sans qu'on lui pose la question) ; elle annonçait, en articulant bien les syllabes, « quatre-vingt-sept » ou « quatre-vingt-quinze » ou «quatre-vingt-dix-neuf», comme si elle disait son nom. On le répétait : «Quatre-vingt-dix-neuf!», «Cent deux!», «Cent huit!» Elle ne savait quoi répondre.

Je l'imaginais mal supporter les horaires rigides de la maison de retraite. Elle qui avait toujours suivi son propre rythme. Les heures et les jours n'eurent plus aucune importance ; c'est à peine si elle différenciait le passé du présent. Dans sa chambre, lui revenaient en mémoire de faibles éclats de voix : des voix chaudes, charmantes, qui s'étaient tues depuis un siècle, des airs de musique qu'on ne fredonnait plus, des confidences. Une ancêtre au casaquin de soie et fichu brodé, qu'elle n'avait jamais connu (sauf dans le souvenir de sa grand-mère), lui parlait du mois de «ventôse», de la semaine qui se termine par un «décadi», du jour révolutionnaire de dix heures.

Les mois lui semblaient ne contenir que dix jours.

Jeanne Calment s'est éteinte dans son fauteuil le 4 août 1997 à 10 h 45 du matin, âgée de cent vingt-deux ans et demi.

Si longue que fût l'existence de Mme Calment, elle reste sans commune mesure avec celle que l'on vit à l'intérieur de soi : la «véritable», ai-je envie d'écrire. Secrète et autonome. Des moments, des fragments rassemblés, de paix, de joie, d'émerveillement intenses, tout un vécu qui pèse peu dans la balance des ans, mais que porte le souvenir : comme un été lointain qui se prolonge en une éternité. Je ferme les yeux pour mieux me voir qui traverse la plage et qui joue pour toujours, et je me dis que l'écoulement du temps en moi est transformé – ici l'horloge n'a pas de prise, ne saura me chasser de ce bonheur – car le corps est un sablier de facture unique.

Le dieu des autres

Mes années de collège et de lycée furent marquées par une grande mixité culturelle, et j'ai été initié à différentes façons d'aborder le monde. Je partageais mes cours avec des élèves à la peau basanée, nommés «Singh», «Hussain» ou «Patel», dont les parents parlaient un anglais teinté d'accent oriental. Beaucoup de sikhs surtout et quelques hindous, que l'on confondait les uns avec les autres. Notre professeur d'éducation religieuse nous apprit que seuls les sikhs se coiffaient de turbans et, si étrange que cela puisse nous paraître, qu'ils n'avaient d'autres noms de famille que «Kaur» pour les filles (ce qui veut dire «princesse») et «Singh» pour les garçons (ce qui veut dire «lion»).

Je me plaisais à imaginer les longues mèches noires des «Singh» soigneusement entortillées dans leurs turbans blancs, rouges ou safran: des cheveux à la Raiponce, puisqu'ils ne les coupaient jamais, selon leur tradition. Quand mes camarades se préparaient le matin, ce devait être un rituel. Ils se peignaient les cheveux jusqu'à la taille et, pour les nourrir, les enduisaient d'huile : celle-ci laissait parfois de petites taches grasses sur le coton du turban. Et c'est après avoir noué leurs cheveux en chignon qu'ils commençaient à les couvrir. Le tissu mesurait plusieurs mètres et s'enroulait comme un bandage, un bout serré entre les dents. Les mains s'affairaient autour de la tête, tirant de la droite vers la gauche, puis du bas vers le haut, pour faire plusieurs couches. Le turban prenait forme. Pour finir, ils rentraient les deux extrémités à l'arrière de la tête. Certainement, ces gestes quotidiens étaient devenus, depuis longtemps, leur seconde nature.

Ces turbans éclatants, ces jeunes barbes, ces «princesses» et ces «lions», tout cela donnait à la classe et au quartier une note chatoyante. Une ambiance qui n'était pas sans rappeler les livres d'aventures que conseillaient les passionnés de scoutisme. Et qui suggérait l'immensité du monde extérieur.

L'influence qu'exercèrent sur moi ces pratiques venues d'ailleurs fut considérable. Je me mis à faire du yoga. Je n'avais que quelques notions en la matière – les mots «position du lotus» et l'image du prince indien assis en tailleur, celui qu'on appelle aujourd'hui le «Bouddha» – et, pour combler mes lacunes, j'allai chercher un manuel à la bibliothèque du collège. Le bibliothécaire, un homme raide et très «vieille Angleterre», n'y comprenant rien, me dirigea d'abord vers le rayon «condition physique» puis «hindouisme» et enfin «culte, méditation», où je tombai sur un livre illustré pour débutants. Les soirs suivants, je m'allongeais sur le sol de ma chambre, les rideaux fermés et les pieds contre la porte, à l'abri de tout regard. J'imitais les yogis sur les photos du livre. Je saluais le soleil. J'inspirais en chien et expirais en chat. Accroupi, les bras levés, je faisais la chaise. Debout, je faisais l'arbre, la montagne, le guerrier. Je dormais bien.

Ayant essayé toutes les postures exposées dans l'ouvrage, je relus dans ledit livre les passages plus théoriques. L'auteur y donnait les syllabes d'un mantra à psalmodier. «*Om mani padme hum*». L'un des mantras les plus connus, semble-t-il. On le nommait «mantra de la grande compassion» chez les bouddhistes. Je me disais qu'avec ces six syllabes je pourrais apprendre à mieux me détendre et que tel un sésame elles m'ouvriraient à un Moi calme, serein, confiant. Assis, jambes croisées, sur la moquette – on aurait dit un mauvais sosie du fondateur de la vénérable religion –, j'égrenais à voix basse «*om mani padme hum, om mani padme hum, om mani padme hum*». Des mots pourpres et flamboyants qui, à force de répétition, m'apparaissaient de plus en plus distinctement. Je les laissais vibrer dans mon esprit.

Le temps passait. Je chassais les pensées gourmandes. La fatigue me gagnait, mes jambes s'engourdissaient. Je me recentrais alors sur ma respiration. Il fallait mettre à contribution toutes les réserves de ma patience. Parfois, des pas s'arrêtaient devant ma porte.

«Tu fais quoi?» me demandait l'un de mes frères ou sœurs. Je le soupçonnais d'être l'envoyé de nos parents. «Rien. Mes devoirs.»

Je suis retourné plusieurs fois à la bibliothèque du collège, au rayon «culte, méditation», et j'eus tôt fait de lire tout ce qui existait sur cette discipline ancestrale. Un jour pourtant, je me rendis compte qu'elle n'était pas faite pour moi: je passais assez de temps dans ma tête comme ça. J'avais besoin d'une activité qui me fasse sortir de ma chambre. Et c'est finalement à travers une autre discipline indienne, un peu plus sociale, que je tenterais l'épanouissement.

Un jeu grâce auquel je retrouverais un ami d'enfance et découvrirais sa propre spiritualité orientale.

*

M'inscrire au club d'échecs local fut l'idée de mon père. Il m'en avait appris les règles des mois auparavant, sur un échiquier en contreplaqué quelque peu gondolé: quand nous soulevions et reposions une pièce, les autres, tout autour, se mettaient à trembler. D'ailleurs, une tour blanche perdue dépareillait l'ensemble: nous la remplacions par un morceau de sucre. J'adorais jouer. Mais, maladivement timide, je me voyais mal passer des heures nez à nez avec des joueurs aguerris. Je ne savais même pas parler aux adultes. «C'est mal connaître le jeu, me tranquillisa mon père. Là-bas, le silence règne; tu laisses les pièces parler pour toi.»

Il avait raison. L'expérience du club le confirma. Sous le silence apparent, une conversation discrète s'installait : un dialogue entre joueurs par pièces inter-posées. Chaque déplacement de la dame, échange de cavaliers, tergiversation de la tour disait quelque chose. Quelque chose ? Un souhait. Une affirmation. Un aveu de faiblesse. Selon la situation. C'était toute une grammaire. La victoire revenait à qui savait le mieux écouter l'enchaînement des coups.

Tu t'en doutes, tout cela est plus facile à écrire qu'à jouer. Surtout contre des hommes de trois, quatre, cinq fois mon âge, qui frappaient le plateau à chacun de leurs coups, haletaient comme après un gros effort, vous dévisageaient de derrière leurs lunettes à double foyer – et qui étaient mauvais perdants. Les yeux fixés sur les carreaux noirs et blancs, je ne me laissais pourtant pas intimider. Je réfléchissais. Devais-je placer tel ou tel coup ou abandonner le plan que j'avais longtemps caressé ? Je me disais s'il va là, j'irai là, et puis s'il prend ça, je reprendrai ça. Je voulais garder pour moi les meilleures répliques. Mais n'anticipais pas trop. La partie trouverait toujours un moyen de nous surprendre.

Un soir, un nouveau membre s'est assis en face de moi devant l'échiquier. Je gardai les yeux baissés pour me donner une contenance et observai ses mains, brunes, élégantes – celles d'un homme d'une quarantaine d'années. Mon regard accompagnait chacun de ses gestes, des coups rapides qui laissaient soupçonner une familiarité entre lui et moi. Ils me tutoyaient presque ; je ne m'en formalisai pas. La curiosité faisant bien les choses, je lui lançai un coup d'œil à la dérobée.

Un visage rond, rasé de près, que tordait une grande concentration. Il me rappelait quelqu'un, j'en avais la certitude, mais je ne parvenais pas à le situer. J'avais déjà de nombreuses parties au compteur et ma mémoire ne marchait plus qu'au ralenti. La soirée touchait à sa fin, seuls quelques joueurs s'attardaient dans la salle. Dont lui et moi.

«Daniel? dit l'homme d'une petite voix, je suis le papa de Babak.» Babak! Mon ancien adversaire au Scrabble. Nous jouions après l'école sur la pelouse de son jardin. Je goûte encore le thé à l'iranienne que nous servait son père. Celui-ci avait fui l'ayatollah pour l'anonymat d'une banlieue londonienne.

Depuis combien d'années – trois? quatre? cinq? – n'avais-je plus eu de leurs nouvelles?

Il me promit d'emmener son fils au prochain meeting du club.

C'était un homme de parole. Il revint, tout sourire, accompagné d'un Babak plus grand et plus grave que le garçon que j'avais connu. Celui-ci voulut m'entretenir à voix basse de son collège. Le club n'étant pas le meilleur endroit pour bavarder, son père et lui m'invitèrent à prendre le thé chez eux le week-end suivant.

Babak et sa famille étaient des bahaïs: une communauté religieuse qu'un vizir perse, ou le fils d'un vizir, avait créée au XIXᵉ siècle, et qui souhaitait unifier les peuples. C'est tout ce que j'en savais et cela ne m'avançait pas beaucoup, d'autant que j'ignorais ce que «vizir» voulait dire exactement. Par la fenêtre du bus à impériale rouge – à l'étage, on avait l'impression de survoler les rues –, je regardais la foule faire ses courses du samedi : est-ce que ces gens voulaient être « unifiés » ?

En acceptant l'invitation, je ne pensais pas devoir assister à une réunion de bahaïs. C'est pourtant ce qui arriva. Je me dis que le père de Babak n'avait peut-être pas bien précisé la nature de notre rendez-vous ou que j'avais tout simplement mal compris. Dans le salon, les autres convives occupaient le canapé ; le père me laissa son fauteuil ; frères et cousins prirent des chaises. Babak fit les présentations mollement. Il avait l'air de s'ennuyer. Je me sentais mal à l'aise au milieu de ces cols blancs bien rasés, craignant sans doute qu'on me trouvât indigne de leur compagnie. Puis le thé fut servi, et les hommes semblèrent m'oublier. Ils châtiaient leur anglais, parlaient harmonie, philanthropie, humanité. Les calligraphies sur les murs, dans une langue que je pris pour du persan, occupaient mon esprit.

Soudain une citation de leur prophète éveilla mon attention : « Le jour approche où tous les peuples de la Terre auront adopté une langue universelle et un alphabet commun. »

« Qu'est-ce que vous en pensez ? » me demanda celui qui avait prononcé cette phrase.

Au hasard de mes lectures en bibliothèque, j'avais appris quelques rudiments d'espéranto. C'est ce que je répondis.

« Très bien ! » s'exclama le père. Il redressa son buste et, avec l'autorité de l'hôte, répéta « C'est très bien ». Le fils du fondateur avait conseillé aux bahaïs d'apprendre cette langue inventée. Lui-même ne la connaissait pas. Ni Babak. Ni les autres hommes assis sur le canapé. Ils me demandèrent alors de leur donner une phrase ou deux à titre d'exemple.

Je me dis que ce devait être pour de tels échanges que le père m'avait convié. Mais, autant il avait l'air ravi de ma présence parmi eux, autant Babak paraissait plongé dans un état d'apathie. Il s'excusa, se leva de sa chaise et sortit. Je maîtrisai l'envie de lui emboîter le pas.

Les hommes se tournèrent vers moi, je soutins leur regard et réussis à bredouiller quelques mots en espéranto. Aujourd'hui encore, ce vocabulaire fabriqué, aux sonorités slaves, m'évoque la rencontre avec ces bahaïs de l'est londonien.

La discussion s'attarda quelque temps sur le thème de la « langue universelle », toujours sur un plan très abstrait. Babak ne reparut pas.

L'un des occupants du canapé aborda ensuite leur programme de sensibilisation. Les bahaïs de Grande-Bretagne, comme ceux de France et d'autres pays européens, ne sont que quelques milliers, principalement des exilés et des expatriés du Moyen-Orient. Comme mes lectures devaient me l'apprendre plus tard, la communauté est plus active en Afrique et en Asie : elle affiche au total plusieurs millions de membres.

À un moment, il y eut une sorte de petit sermon ou de prière, d'une telle discrétion que je n'en ai plus aucune trace dans ma mémoire. Les femmes de la maison poussèrent la porte du salon. On nous apporta plus de thé, des pains pita et une montagne de riz pilaf à partager. Je me servis après m'être lavé les mains, fourrai mon pain de riz et le portai à la bouche.

«Non, non, avec des couverts», me dit le père. Sa désapprobation confinait au dégoût. Il me tendit une fourchette. Manger avec les doigts était, d'après leur fondateur, une pratique arriérée. Pratique pourtant courante, et naturelle, pour des centaines de millions de mains dans le monde. Je mangeai avec la fourchette à contrecœur; le pain tout seul était sec; je le laissai sur le bord de l'assiette.

De temps en temps, je revoyais le père de Babak au club d'échecs, et il se peut que j'aie décliné une nouvelle invitation à «prendre le thé». Nous n'avons jamais conclu notre partie entamée le premier soir.

Cette façon de manger le riz avec les mains, je l'avais acquise auprès d'Ahmad, un camarade de classe. C'était un musulman, grand et maigre, d'origine pakistanaise, et un parfait bibliophile. Il lisait aussi bien l'ourdou, l'arabe que l'anglais. Il s'était vite pris d'amitié pour moi, me racontait ses lectures du moment, auxquelles les miennes faisaient écho. Nos discussions duraient parfois des heures. Et parce qu'il habitait près du collège, j'allais souvent déjeuner chez lui.

Un petit appartement chargé au premier étage d'un immeuble. Tout y évoquait la vie d'une famille indienne logée à l'étroit : les chaises encombrées de coussins écarlates, eux-mêmes ornés de fils d'or et de boutons de verre ; pêle-mêle sur des meubles s'entassaient des plateaux en cuivre ; la chambre d'Ahmad débordait de journaux en langue ourdou. Coincée entre les chambres et le salon se trouvait une cuisine odorante d'où sortaient curry sur curry : rouge de piment, jaune de curcuma, noir d'aubergines grillées. Nous nous mettions à table, Ahmad et moi, souvent accompagnés par sa sœur et leurs frères cadets, Adnan et Ridwan – jumeaux identiques que seuls leurs prénoms me permettaient de différencier –, et mangions tous avec les doigts. Les jours saints, les parents d'Ahmad se joignaient à nous, alors tout le monde s'installait jambes croisées sur le tapis du salon, comme pour un pique-nique. Au dessert, Ahmad me faisait goûter les dattes avec lesquelles on rompait le jeûne du ramadan.

Ahmad, ramadan : les deux vont de pair dans mon esprit. Il était si maigre qu'on aurait pu croire qu'il jeûnait toute l'année. Sa maigreur d'ascète accentuait un soupçon de barbe noire sous le menton, barbiche qu'il cultivait moins pour sa religion que pour se donner un air de poète. Il composait des vers. Ceux qu'il me montrait, façonnés de son écriture régulière (et qui lui revenaient tous les trois mois des magazines littéraires auxquels il les envoyait), étaient pleins de tendresse pour la patrie des musulmans. « *Pakistan zindabad* », longue vie au Pakistan.

À d'autres moments, pourtant, alors que ses vers étaient empreints d'une touchante sincérité, il m'offrait dans le secret de sa chambre une tout autre facette de son rapport au pays. Une fois, il fut question de l'ancien président, le général Zia-ul-Haq, qui avait péri en 1988 dans un crash aérien. Et comme je lui demandai la cause de l'accident – le feu d'un pays ennemi ? le sabotage ? une panne ? –, il me répondit, d'une voix altérée : « C'était l'acte d'Allah. »

Voici une réponse qui me prit de court ! Je ne savais pas jusqu'où je devais la prendre au sérieux. Surtout venant de lui, d'habitude si doux, si placide... À mesure qu'il dressait ses doléances contre l'ancien chef d'État, il pâlissait. Il lui faisait grief surtout d'avoir légué aux Pakistanais un régime autoritaire. Ce n'est pas au gouvernement, me disait-il, de définir ce qu'est le « vrai islam », de séparer les « bons » musulmans des « mauvais », les croyants des « infidèles ». La colère l'avait envahi, et c'était elle qui avait articulé « l'acte d'Allah ». J'eus envie de mieux comprendre ce qu'il entendait par là. Mais je n'osai le lui demander. Il décoléra aussitôt et fit un geste brusque de la main comme pour dire : excuse-moi, j'y suis allé un peu fort. Puis la conversation changea du tout au tout. Comme souvent avec lui.

Semaine après semaine, il dissertait sur Charlie Chaplin, dont l'œuvre lui inspirait une affection sans bornes. Dans le salon, nous regardions de temps à autre une VHS bien usée du *Dictateur*. Il adorait la scène de la danse avec le globe gonflable et pouffait de rire quand le ballon éclatait au visage du tyran. Il tirait sur sa pipe tout en regardant l'écran – de petits rubans de fumée s'échappaient alors de ses narines –, la sortait de la bouche puis l'y remettait sans même devoir desserrer les dents : l'absence d'incisives, résultat d'un accident d'enfance, laissait place à un trou.

Plus rarement, il utilisait un fume-cigarette : repéré sans doute dans un film ou sur une photo de Marlene Dietrich, tant était grande la fascination que l'actrice allemande exerçait sur lui, plus grande encore que celle qu'il éprouvait pour Charlot.

Ils se sont bien trouvés, disaient nos parents. Les deux excentriques. Sa mère m'aimait beaucoup. Elle me saluait d'un sourire, chaque après-midi, au seuil de sa cuisine. C'était réciproque. «*Assalamu alaykum*», lui répondais-je en souriant – salutation traditionnelle que son fils m'avait apprise : que la paix soit sur vous. Puis je suivais Ahmad dans le couloir, passant devant celle qui restait dans l'encadrement de la porte, les cheveux noirs coiffés d'un foulard rose pâle qu'elle venait de poser à la hâte. Elle avait de beaux cheveux, longs et volumineux, à en faire tomber le foulard ; je la voyais souvent en train de l'ajuster. Sinon, elle s'habillait de la même jupe longue avec haut assorti que portent beaucoup d'Anglaises. Cela lui allait à ravir. En femme consciente de sa beauté, elle relevait la sobriété de sa tenue de créoles et de joncs en laiton.

Un après-midi, elle quitta sa cuisine pour m'attendre dans le couloir. Quand j'entrai, la voyant devant moi, je lui tendis la main. Ce geste me vint spontanément : c'était comme cela que je saluais Ahmad. J'avais quinze ans, peut-être. J'étais l'ingénuité même. Bien qu'elle fût une musulmane pratiquante, connaissant parfaitement ce que moi j'ignorais – à savoir, l'interdiction pour une femme mariée de toucher un autre homme –, elle était avant tout une mère. Décontenancée sur l'instant, elle finit par me saisir la main, non pas comme le faisait son fils, mais la tirant vers elle, et elle me prit dans ses bras, me serra fort. Elle riait. Le rire se communiqua à Ahmad et à moi. L'étreinte se relâcha, elle retourna à sa cuisine. Et son rire couvrait par moments le bruit des casseroles.

La mosquée d'Ahmad se trouvait à Southfields, dans le centre de Londres, et, voulant me la faire visiter, il m'y entraîna un week-end. Southfields depuis la gare de Barking : trajet direct sur la ligne District du métro. Au sud de la Tamise, c'est un autre Londres qui vous accueille : un Londres plus feuillu et pittoresque. Tout près, les courts de tennis en gazon de Wimbledon, qui, chaque été, sont tout de jupes courtes et de coupes de champagne. En juillet, se côtoient dans les rues des hommes coiffés du *Times* en guise de chapeau et d'autres de bonnets islamiques. Incongrue aussi, parmi les briques rouges de l'Angleterre, cette façade blanche de la mosquée avec son écriteau en arabe, son dôme vert.

Quand, vingt ans plus tard, en visite au sultanat d'Oman, je me remémorerai l'édifice de Southfields face à la Grande Mosquée de ce pays, il me paraîtra soudainement minuscule, comme une mosquée de poupée.

Avant d'entrer, Ahmad alla se préparer dans une salle d'eau contiguë. Une ablution minutieuse. Le fidèle doit respecter scrupuleusement un enchaînement de gestes précis. Ahmad se mit face au mur sur un tabouret, les pieds nus, les mains sous un robinet d'eau froide : trois fois il les lava, commençant par la main droite ; trois fois, il se rinça la bouche, puis les narines ; trois fois, il nettoya son visage et ses bras – le bras droit en premier – jusqu'au coude ; puis il passa ses mains mouillées sur sa tête, ses paumes sur sa nuque, ses index dans ses oreilles, ses pouces derrière les lobes ; enfin, il se rinça les pieds, eux aussi trois fois, jusqu'à la cheville, passant l'auriculaire de la main gauche entre chacun de ses orteils, du petit orteil droit à celui de gauche.

Propre comme un sou neuf, il resta sans chaussures toute la durée de notre visite. Moi aussi, je dus ranger les miennes dans un réduit parmi celles d'inconnus. Nous pénétrâmes dans la salle de prière dont les fenêtres hautes et étroites tamisaient la lumière estivale. L'espace d'un instant, on se serait crus au Maghreb ou au Moyen-Orient. Puis, on remarquait les radiateurs qui bordaient les murs et détonnaient dans ce cadre oriental, laissant entrevoir les vendredis glacés de l'hiver anglais. Le sol, sur lequel nous marchions en chaussettes, était recouvert d'un tapis épais, à rayures blanc et vert. Ahmad se dirigea vers le fond, vers le renfoncement du mur central où l'imam, supposai-je, menait de dos les prières collectives. Il y avait une chaise et je m'installai dans un coin. Mon ami s'arrêta, tourné vers La Mecque, croisa les bras et pria en silence. Il était une heure de l'après-midi ; cela devait être la deuxième de ses cinq prières quotidiennes. Il ne manqua pas de place pour son buste quand il s'inclina, pour ses jambes quand il s'agenouilla, pour son front quand il se prosterna, car les fidèles étaient peu nombreux ce jour-là. Le visage de profil, il semblait calme et grave, et ses lèvres remuaient en récitant des versets du Coran.

Était-il devenu, à force d'entraînement, un expert en prière ? Je n'avais nullement l'œil pour distinguer les prières sincères et bien faites de celles expédiées machinalement, sans enthousiasme. Avait-il déjà éprouvé le sentiment de les avoir bâclées ou d'en avoir trop fait ? À quoi se connectait-il ? J'aurais aimé découvrir ce qui se passait dans la tête de mon camarade si dévot tandis qu'il priait. Mais je savais cela impossible. Je me figurais le questionnant là-dessus : il bredouillerait quelque chose que je ne comprendrais pas. Comme si nous ne partagions aucune langue commune. Le rituel et plus encore les versets qu'il susurrait m'inspiraient pourtant un intérêt certain.

Ahmad me montra son coran peu de temps après la visite à Southfields. C'était un livre de taille moyenne, protégé par une housse blanche en coton. La couverture s'ouvrait sur des pages entières de ces lettres arabes – souples et géométriques, qui se prêtent si aisément à l'ornementation – que j'avais déjà remarquées sur l'écriteau de sa mosquée et que je reverrais un jour dans un souk omanais, ornant des cafetières traditionnelles en argent. Mais rien ne m'avait préparé au choc esthétique, à la beauté visuelle du texte, que mettait en relief le format d'un livre. Le jeu des proportions. Les jolies courbes. Les formes fluides que dessinaient les mots écrits dans une langue que j'ignorais. Une carafe. Une barque. Un cygne.

Je lus une vieille traduction anglaise de Marmaduke Pickthall (ce nom ne faisait que renforcer le côté exotique du livre) pour m'initier au Coran. La poésie qu'annonçaient les titres de ses sourates, ses chapitres : « The Bees » (Les abeilles), « The Star » (L'étoile), « The One Enveloped » (Celui qui est revêtu d'un manteau), m'intriguait. Je découvris un monologue continu, allusif, dont l'harmonie et la musicalité découlaient de maintes répétitions. Comme ce serait beau de pouvoir entendre cette musique comme l'entend Ahmad, me disais-je. Hélas, le texte de Pickthall ne constituait qu'une simple interprétation de l'original. Celui-ci, m'expliqua mon ami, était sacré, donc inimitable. Le Coran, c'est la voix divine, existant comme Allah de toute éternité.

Cela expliquait la housse en coton et la solennité avec laquelle Ahmad tenait son livre et en feuilletait les pages. Les expressions qu'il employait – « la voix divine », « la parole du Créateur » – me rappelaient irrésistiblement le Jésus de mes hymnes de primaire. C'était d'autant plus curieux que, jusqu'alors, j'avais conçu la religion d'Ahmad comme distincte de celle de l'école; et cela m'étonna de voir Pickthall évoquer la conception virginale, le fils faiseur de miracles et son ascension au Ciel. Ces références au nommé «Issa» indiquaient que les musulmans comme Ahmad – plus d'un milliard de personnes – le tenaient en grande estime. Cela me posa question. Pendant longtemps, j'avais laissé le mot «Jésus» aux chansons de mon enfance, aux Évangiles (lus en sautant beaucoup de pages) dont il était le héros. Désormais, «Jésus» prenait une autre ampleur dans mon esprit: il incarnait l'homme, ou du moins le commencement d'un homme, un homme dans l'Histoire. Et quelque chose de l'estime d'Ahmad pour cet homme déteignit sur l'athée que j'étais.

À ceux qui, à cette époque, m'auraient demandé qui était ce Jésus, j'aurais sans doute répondu, sans y penser: un sage. Et si les mêmes avaient sollicité mon avis sur ces histoires de vierge, de miracles et tout le reste, j'aurais répondu, encore une fois sans y penser: c'est une façon de parler, c'est comme cela que l'on rend hommage aux grands hommes. Pour étayer mon propos, pour afficher mon savoir aussi, j'aurais donné comme exemple le portrait d'Alexandre le Grand sous la plume ampoulée de Plutarque. Ces réponses m'auraient semblé satisfaisantes. Aujourd'hui, j'en comprends les limites, que les questions elles-mêmes imposent. Comme s'il s'agissait simplement de mots croisés: Jésus. En quatre lettres. Sage? Dieu? Mais non, il fallait élargir la réflexion. Y manquait encore toute une dimension, pourtant essentielle, et sans laquelle la meilleure tentative de réponse – même avec tous les Plutarque du monde à l'appui – sonnait creux.

Corde sensible

Foi. Parmi tous les mots qu'avaient prononcés les bahaïs ou Ahmad pendant nos longues discussions, celui-là manquait à l'appel. Je crois l'avoir entendu pour la première fois en cours. Dans le cadre de rencontres organisées par le collège pour ouvrir les élèves au «monde extérieur». Ce matin-là, le professeur avait invité un blond et une brune à venir se présenter devant la classe. La trentaine avenante. Habillés, tous deux, sans la moindre coquetterie : en jeans, pull-overs quelconques et bien chauds (cela devait être pendant le deuxième trimestre). Ils se perchèrent côte à côte devant nous sur des tabourets hauts. Le blond avait apporté sa guitare, qui attendait sur ses genoux, et dont l'étui était orné d'autocollants «Paix et Amour», ce genre de choses. On devinait, à la manière dont il avait posé la guitare, qu'il était gaucher. Ses mains en tapotaient le bois tandis que sa collègue prenait la parole.

La jeune femme nous exposa sa foi, leur foi ; et c'était bien de «foi» et non de religion ou de théologie qu'il s'agissait. Elle avait une façon de procéder à laquelle je n'étais pas habitué. Elle racontait sa vie, ainsi que celle de son mari – le blond – avec l'émotion d'un témoignage. Peut-être les Américains ont-ils l'habitude de s'exprimer ainsi, mais ce couple-là était indéniablement britannique : la brune avait l'accent du sud de l'Angleterre. Enfant, dit-elle, elle se posait beaucoup de questions, et – c'était sa fierté – elle se les posait encore aujourd'hui, de plus en plus. Le monde est si vaste, les sciences si fascinantes. Pendant ses études – elle était passée au bout d'un semestre du droit à la biologie –, elle avait frôlé la dépression à force de potasser ses manuels et s'était décidée à courir le soir et le week-end. Courir lui reposait la tête. Et c'est lors d'un marathon caritatif qu'elle avait rencontré Matt, comme elle l'appelait. Un peu traînard, ajouta-t-elle dans un sourire, mais peu importait, c'était pour la bonne cause. Il était dans la musique et elle aimait l'accompagner au chant quand il prenait sa guitare. Chanter, c'était comme courir : l'un et l'autre la faisaient se sentir libre. Courir ou chanter, elle avait alors la sensation d'appartenir à une réalité plus grande qu'elle. L'important pour chacun de vous, nous dit-elle, c'est de trouver votre voie. Cela demande du courage, de la confiance : en un mot, il faut avoir la foi. Le couple avait voyagé en Asie pour chanter dans les écoles et les hôpitaux ; les mots et les images que leur évoquait le quotidien de ces pays finissaient dans leurs chansons. L'inspiration pouvait surgir d'un pousse-pousse, de la mousson ou encore de la révérence d'un vieil homme. Ils n'avaient de cesse d'observer les mêmes choses encore et encore. Il y a toujours quelque chose de nouveau à voir. Une chose ou une personne sans intérêt, sans valeur, cela n'existe pas. Il suffit de trouver le bon angle, la bonne attitude pour le constater.

J'écoutais parler la brune d'une oreille attentive. À part cette utilisation du terme «foi», il fallait comprendre entre les phrases qu'ils étaient chrétiens. Il était facile de les ridiculiser. La lumière crue de la salle leur donnait un aspect pâlot. Mais, en dépit de leur côté un peu gnangnan, les mots de la jeune femme me touchaient. Ils ne me semblaient pas trop rodés, plutôt spontanés et sincères. Moi qui avais tant connu de moqueries en raison de ma différence, entendre dire «qu'une personne sans intérêt, sans valeur, cela n'existe pas» me faisait un bien fou. L'idée surprenante me vint alors que nous avions, le couple et moi, une sensibilité commune : une inclination artistique, un goût pour le questionnement, pour l'observation passionnée de tout ce qui nous entoure. Par moment, j'avais la sensation d'entendre la brune parler à ma place.

Elle adoucissait les douleurs de son passé pour faire ressortir le positif. Ce faisant, elle respectait les consignes de pudeur que le collège lui avait sans doute données. Pourtant, aux yeux de mes camarades adolescents, rongés par l'angoisse et le manque d'assurance, ces raccourcis affadissaient quelque peu le propos. Le récit de son brillant parcours universitaire mit une distance perverse entre elle et nous, qui étions bien loin de Cambridge ou d'Oxford. Loin, aussi, du nord et de l'ouest de l'Angleterre où «Faith» (foi) reste un prénom assez commun tandis que chez nous il n'avait que des connotations obscures et démodées.

La présentation s'acheva. Le blond, Matt, gratta sa guitare. La brune chanta l'une de leurs compositions, une jolie chanson chaude et légère, qui, contre toute attente, m'émut. La musique s'empara de moi et je vis de fines lances de lumière traverser la salle. Un soleil imaginé.

Je fus bien sûr le seul dans la classe à le voir. Ahmad, mon compagnon à la barbiche de poète, n'assistait déjà plus aux cours – éloigné par de longs voyages familiaux au Pakistan. Les autres élèves, garçons et filles, avaient dès le début témoigné d'une méfiance certaine envers le couple – méfiance qui, très vite, avait viré à l'hostilité. Leur posture disait toute leur colère. Ils refusaient de les écouter ; même les plus doux ou les plus ouverts, n'osant se démarquer, laissèrent la pression du groupe glacer leur imagination. Chez d'autres, l'autosatisfaction endormait la curiosité. Ils ne firent que ricaner. Une fille hilare lança à la brune « T'es pas belle ! » et « Tu fais pitié ! ». Ces railleurs, je ne les connaissais que trop bien : depuis des années, ils avaient pour cible ma maladresse et ma solitude, plus grande encore depuis le départ d'Ahmad. Là, face au couple, ils lâchèrent les mots les plus durs que j'eusse entendus. Même mes parents, qui, comme je te l'ai dit, s'y connaissaient en persiflage, ne se seraient jamais livrés à de telles injures : ils s'incluaient toujours dans le ridicule du monde dont ils se moquaient.

Mettre ces insultes, leur ampleur, sur le compte de la jeunesse me paraît trop facile. En effet, leurs fanfaronnades n'étaient qu'une façade masquant leur fragilité. Or, pourquoi n'avaient-ils rien dit durant les rencontres précédentes : celle avec l'homme politique qui discourait sur sa « vision » et son programme ; ou celle avec le businessman qui parlait de « gnaque » et de camemberts ; ou celle encore avec la psychologue pour qui tout était question d'estime de soi, de « type de personnalité » ? Il y avait sûrement matière à critique (sans même mentionner leur look) et pourtant, face à eux, nos moqueurs s'étaient tenus tranquilles. Ils n'avaient oublié leurs scrupules qu'avec le blond et la brune. À croire que le couple avait touché un point sensible. Les avait mis face à une contradiction. La musique de Matt ne leur plaisait pas, pas plus que les paroles de sa femme, ils n'aimaient pas la mélodie, raillaient la guitare : ils auraient voulu que la musique les dépasse, mais, en même temps, leur ressemble.

Mi-gêné, mi-étonné, le professeur, pour éviter tout débordement, écourta l'intervention et raccompagna le couple jusqu'au portail.

Ils ont dû bien changer depuis, les moqueurs. Parmi eux, certains se demandent peut-être encore quelle mouche les avait piqués.

Je ne voudrais pas accorder à cet épisode plus d'importance qu'il n'en a eu. Pendant deux ans – priorité aux examens –, je l'ai oublié. Et il est possible que ce qui m'arriva par la suite, ce que je vais te raconter maintenant, me fusse arrivé de toute façon. Toutefois je pense, comme je le pensais alors, qu'il y a un rapport entre les deux événements.

Vertige

J'étais à même le sol de ma chambre, les rideaux encore ouverts ; dans le ciel nocturne, un scintillement de lune. Autour de moi, les devoirs d'un lycéen – une dissertation sur la politique anglaise au XIXᵉ siècle – que je venais de terminer, couché sur le ventre comme à mon habitude. À présent, tourné sur le dos, je fixais le plafond. Mes pensées erraient de plus en plus. Soudain, elles transformèrent le blanc du plafond en un écran noir, et je vis apparaître des étoiles, des planètes, des galaxies – l'univers tout entier. Je plongeai dans un état fébrile. Je tremblais. Je n'étais pas bien. Il me faudra attendre longtemps (et mon installation en France) avant de tomber sur un passage des *Pensées* de Pascal, vieux de trois cent cinquante ans, qui décrit parfaitement ce que j'ai ressenti cette nuit-là :

> *Qu'est-ce qu'un homme dans l'infini ? [...] Un néant à l'égard de l'infini, un tout à l'égard du néant, un milieu entre rien et tout. Infiniment éloigné de comprendre les extrêmes, la fin des choses et leurs principes sont pour lui invinciblement cachés dans un secret impénétrable, également incapable de voir le néant d'où il est tiré, et l'infini où il est englouti.*

Pascal sort ensuite un tour rhétorique de son sac. Pouvoir pénétrer si clairement le noir est pour lui une sorte de triomphe :

Par l'espace, l'univers me comprend et m'engloutit comme un point ; par la pensée, je le comprends.

Ce ne fut pas exactement mon expérience. Je songeai : tout ce que je vois et tout ce que je ressens, tout ce que je peux penser et imaginer au tréfonds de moi n'est finalement rien. Tout cela n'est que le produit d'un univers si mince, si futile, si illusoire qu'il entre dans une tête. Pas un univers à bâtir un destin. Et j'eus le sentiment que la réalité – ce qu'on appelle la réalité – n'était rien d'autre qu'une fiction élaborée du vide. Une terreur vague me tenaillait. À croire que l'univers lui-même se moquait de moi, de mes pensées, de mon imagination. Je voyais tout en noir. Combien c'est dur de vivre avec l'idée du vide ! J'eus le sommeil difficile des nuits et des nuits durant.

Cette idée me taraudait. Depuis l'enfance, mes années de réflexion et d'observation m'avaient conduit, déduction après déduction, à une vision personnelle des choses. J'étais mortel – ça, je l'avais bien compris ; ma vie, comme celle de toute personne, connaîtrait une fin. Mais le Savoir, la recherche de la Vérité, je les concevais sans limites. Inépuisables. C'était cela qui, à mon avis, donnait sens à l'existence et permettait à chacun de séparer le bon grain du vécu de l'ivraie du fantasme.

Mais que pouvait valoir la vie si tout ce qu'on apprenait n'existait que dans la tête ? Rien ! Rien !

L'appel de l'étranger

Une telle angoisse, au seuil de l'âge adulte, aurait pu freiner une conscience sociale, dissoudre toute ambition. Si elle n'a pas empoisonné mon esprit ni poussé tout mon être à tourner le dos au monde, si je pus m'en débarrasser peu à peu pour aller de l'avant, je le dois à la découverte, un matin, dans la presse locale, d'une petite annonce pour le service volontaire à l'étranger.

Aussi loin que remontent mes souvenirs, je me suis toujours senti étranger : dans ma famille, dans ma scolarité, dans ma langue maternelle (j'aimais lire, je lisais avec une grande aisance, mais converser c'était une autre histoire). Longtemps j'ai rêvé d'habiter un autre pays et de parler une autre langue dont l'accent excuserait mes excentricités. C'est ce rêve qui m'a poussé à étudier les langues étrangères, et qui me fait me sentir bien en compagnie d'étrangers et d'immigrés. L'obtention de mon bac et l'annonce du décès de Mme Calment (les deux événements étaient survenus à seulement quelques semaines d'intervalle) me firent prendre conscience qu'il était grand temps pour moi de m'aventurer dans ce monde extérieur que je connaissais si mal et qui semblait pourtant m'attendre. Tout quitter, fuir même, partir sans rien, sinon mes dix-neuf ans, changer d'air et me changer les idées, découvrir quel genre de personne j'étais, devenir un homme du monde : la petite annonce dans le journal m'ouvrit la voie.

J'y répondis, passai un entretien dans de grands bureaux à Londres, pris un train pour suivre une formation de quelques jours – tous frais payés – dans la ville industrielle de Birmingham. Quelles ressources, quelle organisation, derrière ces quelques lignes d'annonce dans un journal ! J'appris que le recruteur était un organisme humanitaire financé, en partie, par le gouvernement britannique. On envoyait de jeunes bénévoles anglais – comme moi – derrière ce qui s'appelait autrefois le Rideau de fer : à Prague ou à Budapest en Europe centrale ; en Slovénie ou en Croatie dans les Balkans ; plus au nord, en Russie ; et dans les territoires moins connus, presque oubliés, des pays baltes, en Lettonie et en Lituanie. C'est là-bas, en Lituanie, que je fus missionné à la toute fin de l'automne 1998, pour dispenser des leçons d'anglais.

Lituanie démocratique, Lituanie post-soviétique, mais traversée des échos d'un passé douloureux. C'est le propre de ces petits pays, me semble-t-il, de concentrer en eux-mêmes toute l'histoire d'un continent ; d'être, pour ainsi dire, l'Histoire en miniature.

Encore n'est-ce là que la moitié de mon expérience : en arrivant, j'avais déjà comme le pressentiment que j'entrais, plus que dans un lointain coin du monde, dans une tout autre réalité, élargissant ainsi irréversiblement l'idée que je m'en faisais – pressentiment qui ne devait être que trop confirmé par la suite.

Les premiers mois, il neigeait beaucoup et j'eus peine à voir le pays. Sauf les intérieurs ternes, défraîchis et gris de la ville de Kaunas : ceux de la chambre dans laquelle je dormais, de la salle de classe du centre social pour femmes où je travaillais, du magasin où le soir j'alourdissais mon sac de harengs, de pain de seigle noir, de fromage blanc.

J'enseignais à des chercheuses d'emploi qui auraient pu être ma mère ou ma grand-mère. Toutes avaient comme moi un drôle de rapport au langage. Elles connaissaient parfaitement le russe mais l'avaient pris en grippe, si bien que, chaque fois qu'un russophone leur demandait son chemin, elles lui indiquaient une mauvaise direction pour qu'il se perde. Pourtant, entre elles, ces mêmes dames ne juraient qu'en russe, jamais en lituanien. «Nos jurons natals manquent de force», se plaignirent-elles un jour, en guise d'explication. «*Rupūžė*, crapaud. Voilà un gros mot lituanien. Crapaud! C'est bien trop faible.»

Ce furent quasiment les premières phrases complètes qu'elles m'adressèrent. Longues me semblaient alors les leçons où ces femmes assises devant moi n'étaient que méfiance, gêne, réticence – une réticence plutôt triste et craintive, une réticence balte enracinée en elles par des siècles d'occupation.

«Excusez-les», me dit un jour une étudiante après le cours. Celle qui arrivait immanquablement la première en classe. «La conversation en public, c'est encore un peu compliqué chez nous. – Comment ça, un peu compliqué?»

Elle avait marqué un silence avant de continuer, et j'ai su ne pas l'interrompre, admirant ses cheveux noirs coupés court – une coiffure que j'associais aux femmes libres et aux intellectuelles.

Elle m'apprit que, en bonnes Soviétiques, on les avait toujours découragées – jusqu'à pas si longtemps encore – de converser avec des étrangers. Et même de parler tout simplement. Tout un pan de la langue quotidienne était devenu tabou. On n'entendait jamais un «mon Dieu!» ou un «Dieu sait si…», bien que le seul fait de taire un mot comme *dievas* (Dieu) en ait décuplé l'aura. Du coup, dire deux phrases valait mieux que trois, mais une seule valait mieux que deux. Les Lituaniennes, à peine commençaient-elles une phrase que leur bouche se refermait aussitôt. Seuls les hommes, membres du Parti, pouvaient parler tout leur soûl, discourant dans un russe qui leur réussissait.

Elle avait ajouté, dans son très bon anglais: «Je me suis habituée au silence. J'ai gardé beaucoup de choses pour moi. C'était plus facile comme ça. Vous imaginez, on ne savait jamais si un type du café ou un voisin n'était pas en train de nous écouter.»

Des mouchards! En Lituanie soviétique, comme ailleurs dans l'Union, le jour avait mille oreilles. Des petites, des grandes, des poilues, celles qui portaient des lunettes, celles qui faisaient semblant d'être occupées, au teint grenat, aux lobes tintant, sujettes à la dermite, elles se collaient aux murs, traînaient dans les couloirs, se confondaient dans les rues, se cachaient dans la petite nuit d'un cinéma. Bref, des oreilles partout, partout, exception faite des bureaux du KGB – et encore.

Il n'empêche que l'humain est un animal de langage. De tous les non-dits, de toutes les pensées ravalées, les rêves lituaniens s'engraissaient. Au lit, les lèvres closes, nos rêveuses s'entendaient dire des blagues, des potins, des points de vue : ainsi doublaient-elles, endormies, ces actrices du muet qu'elles incarnaient le jour. D'autres chuchotaient, criaient et cancanaient à haute voix, se réveillant en pleine nuit la bouche sèche, la gorge en feu, le cœur battant. Puis se rendaient vite compte qu'elles n'avaient rien à craindre, car quel policier pouvait bien verbaliser une dormeuse ?

«Je me réveillais crevée. Dormir comme ça, c'est épuisant, me dit l'étudiante. Durant ces années, je n'ai jamais pu dormir – comment dites-vous ? – à poings fermés.»

La poudre estompait difficilement les cernes qu'elle avait héritées de cette période.

Ainsi, je compris pourquoi mes dames se montraient si peu loquaces. Les encourager à parler serait notre revanche.

J'ai passé des moments forts dans ma salle de classe. Je m'y rendais tôt pour préparer les cours. La salle se présentait comme on pouvait s'y attendre : un tableau, des murs grisâtres, des tables et des chaises. Un magnétocassette, déjà vintage, muet, dans le placard. Placard qui renfermait aussi un tas de manuels dont je ne me servais pas. Trop assommants. Des pages sans charme, couvertes de «vocabulaire», à croire qu'une langue se résume à ses seuls mots. Mes étudiantes, soit dit en passant, se montraient du même avis que moi : elles faisaient fête aux poèmes de Sylvia Plath que nous disséquions ensemble. Autant d'images, d'idées, qui, digérées, ajustées, se retrouvaient des semaines ou des mois plus tard dans leurs phrases.

Riches de ces images, elles finirent par beaucoup bavarder quand nous ne lisions pas les poèmes, et parlaient anglais autant que le cœur leur en disait, autant que leur niveau à chacune le permettait. Des discussions à bâtons rompus, aussi vives que variées, que je guidais de mon mieux, et enrichissais tantôt d'une suggestion ou d'un compliment, tantôt de la correction d'une erreur.

Et plus elles dialoguaient avec moi, plus cela me poussait à leur répondre : ces échanges engendraient des conversations dont je ne me croyais pas capable, stimulantes, tant et si bien que ma timidité, pourtant tenace, finit par me quitter. Je ne regrettai pas une seconde ma chambre à Londres. Ce qui me plaisait dans notre groupe : personne n'avait le dernier mot, encore moins la science infuse. Surtout pas moi. Chacun s'exprimait d'égal à égal et, de ce fait, une complicité s'installa rapidement. Nous participions tous, par le débat et l'échange, à la fabrication du savoir. Et nous nous amusions beaucoup.

Liberté !

Il faisait bon ce printemps-là à Kaunas, après des températures de moins trente, moins vingt, moins dix ; et les conversations entamées dans la salle de classe se poursuivaient parfois au grand air. Notamment avec la femme aux cheveux noirs coupés court : d'étudiante et professeur, nous étions bientôt devenus amis.

Un après-midi ensoleillé d'avril, à la fin du cours, elle m'invita à faire une promenade. Dans les rues, la neige sale et boueuse cédait peu à peu la place aux nids-de-poule, aux trottoirs nécessitant des réparations. Tandis que nous marchions, lentement, avec prudence, je l'écoutais. J'étais surpris, plus que jamais, de constater à quel point elle maîtrisait l'anglais : j'en venais même à soupçonner qu'elle assistait au cours uniquement pour bénéficier de la compagnie des autres et non pour apprendre. Cet après-midi-là, elle m'avoua à demi-mot sa solitude, auprès d'un mari infirme dont elle devait s'occuper matin et soir. Chaque matin, elle lui apportait sur un plateau son petit-déjeuner : probablement du café noir, un jus d'orange, du pain coupé, comme je l'imaginai, en petits morceaux, pour mieux l'avaler. Je me disais que l'étudiante, sans mes cours, aurait pu compter au nombre de ces dames que l'on croise dans les gares, en salle des pas perdus (d'après certains romans que je lisais adolescent) – des femmes qui n'attendent personne mais se plaisent à se fondre dans l'effervescence ambiante.

Une autre fois, elle m'emmena à l'autre bout de la ville pour me montrer «quelque chose». Nous nous sommes engagés dans Laisvès Aleja, une avenue commerçante qui descendait vers la vieille ville, et avons marché jusqu'à hauteur du théâtre d'État de Kaunas. Au sol, une plaque en marbre portait le nom de celui qui, à cet endroit, avait sacrifié sa vie à la lutte pour l'indépendance : ROMAS KALANTA, 1972. Il y eut un silence, comme de recueillement, tête baissée. Puis elle déclara :

«Il voulait devenir prêtre. Il voulait être libre.» Encore un silence. «Nous étions de la même année. Romas n'avait même pas vingt ans.»

Il m'avait été impossible jusque-là de lui donner un âge.

«Il s'est... immolé.»

J'ai senti l'odeur sèche de l'essence, entendu le cliquetis du briquet, un vertige m'a saisi.

Un enfant courait sur la pelouse du square devant nous. Il faisait un beau soleil de mai. L'étudiante m'a raconté les jours de manifestation qui suivirent l'enterrement de Romas Kalanta.

« Nous étions des milliers dans les rues. Nous criions *"laisvė, laisvė!"* » Liberté !

«Ils croyaient qu'un autre monde était possible», ai-je pensé en lituanien. Puis en anglais : «Et si c'était cela, la foi ?»

Cette même année, 1972, une douzaine d'autres Lituaniens se donnèrent la mort en s'immolant.

Au cours d'autres promenades, l'étudiante rapporta d'autres histoires, me montra d'autres endroits. Et je compris que les fidèles avaient été les premiers résistants au régime soviétique, la foi et le courage se nourrissant l'un l'autre. Il faut savoir que les Lituaniens sont les plus jeunes chrétiens d'Europe : l'Église ne s'est établie dans leur pays qu'en 1387. Malgré, ou peut-être grâce à cela, ils prient encore beaucoup, observent leurs rites, tout en s'inscrivant dans leur temps : il nous arrivait, à l'étudiante et à moi, de croiser dans la rue des filles qui sortaient de la messe en jean et T-shirt ; ou des prêtres glabres, enfourchant leur grosse moto et nous faisant *labas*, bonjour, de la main avant de boucler leur casque et de démarrer.

Nous promener ainsi m'a ouvert les yeux. Voir, c'est savoir, me disait souvent mon amie. Né de l'autre côté du Rideau de fer, j'avais tenu l'existence d'églises comme allant de soi : des bâtiments anciens, on ne peut plus ordinaires. Maintenant, je les voyais comme pour la première fois dans leur beauté et leur fragilité, lisant, à l'instar de la population locale, toutes sortes d'appels dans les lignes de leur architecture : à la résistance, à la solidarité, à la quiétude.

Les Soviétiques avaient tenté sinon d'abolir la religion, du moins de la faire disparaître progressivement. De nombreux lieux de culte avaient été désaffectés, reconvertis. Dans la vieille ville, sur la place de la mairie, nous sommes entrés dans l'église Saint-François-Xavier. Son intérieur baroque avait servi de gymnase jusque dans les années 1980. Dans la pénombre, occupée à nouveau par des bancs, je vis voler les gros ballons brun orangé d'autrefois et entendis siffler un penalty, tandis que les cloches se mettaient à carillonner. Un crucifix, longtemps remplacé par un panier de basket, avait depuis quelques années repris sa place. Une dame âgée se tenait à ses pieds. Elle aborda mon étudiante, qui me traduisit : au-dessous se trouvait une crypte dans laquelle les autorités avaient aménagé un sauna. Si, si, un sauna. Et sous les combles, une salle de tir ! En prononçant ces mots, la dame avait secoué la tête, et je pus lire le dégoût et l'incompréhension sur son vieux visage.

Marcher dans ces espaces dits « sacrés » m'impressionna. Que devais-je faire ou ne pas faire, dire ou ne pas dire ? Moi qui n'avais jamais mis les pieds dans une église, je n'en savais rien. Je n'en disais mot à mon étudiante, j'esquissai ce que je pensais être le signe de croix rituel en entrant puis en sortant et me demandai si elle ne me prenait pas pour un drôle d'anglican.

« Un sauna, ce n'est rien », me dit-elle une fois sortis, puis elle dressa une petite liste d'autres reconversions incongrues voulues par Moscou : un monastère changé en asile, une cathédrale en entrepôt, une église de Vilnius en silo, puis… en musée de l'athéisme ! Des centaines de bâtiments qui s'étaient beaucoup dégradés pendant ces années-là, leur patrimoine ancien – peintures, sculptures, vitraux, grandes orgues, chasubles – à jamais perdu, abîmé ou détruit. Pour quelqu'un qui ne connaissait rien du milieu chrétien, qui n'entretenait aucun rapport avec celui-ci, je me surpris à éprouver une certaine émotion face à ce que la dame âgée, et peut-être l'étudiante, aurait pu appeler un «sacrilège».

Nous nous sommes ensuite installés à la terrasse d'un café, face à l'église, et avons commandé un cidre traditionnel, parfumé au carvi.

«Mais comment les membres d'une congrégation pouvaient-ils se réunir, sans église ?» lui ai-je demandé.

Nombre restaient ouvertes, m'a-t-elle expliqué, on y célébrait des messes ; mais parfois les gens ne s'y rendaient pas, au cas où un agent du KGB s'y serait caché. Ils allaient plutôt chez les uns et les autres, des hommes et des femmes de confiance. C'étaient des assemblées restreintes : quelques croyants, accompagnés si possible par un prêtre.

Je mesurai à quel point la profession de prêtre devait être terrible. Ceux qui n'avaient pas été envoyés au goulag, exilés, ou tués, faisaient leur devoir de leur mieux, vieux et malades qu'ils étaient souvent. Ils arrivaient incognito dans un appartement, à la faveur de la nuit, et s'habillaient sur place. Une table recouverte d'une nappe blanche leur servait d'autel. La cérémonie se déroulait sans éclat. Quelques bougies. Des prières collectives. Aucun chant. Il fallait faire attention à ne pas s'attirer d'ennuis. Surtout si un enfant ou un adolescent se trouvait dans les parages. Prier était considéré comme un délit : même une mamie qui apprenait à un écolier l'Ave Maria risquait la prison.

Difficile, pour le non-croyant que j'étais, d'entrer dans ce type de courage, celui d'hommes et de femmes s'en remettant à une autorité plus haute encore que le Kremlin. Mais je le leur enviais. Et l'admirais infiniment. Cela offrait une nouvelle face de la religion que je n'avais guère, jusque-là, soupçonnée.

L'étudiante but une gorgée de cidre.

« Les étrangers, en général, ne comprennent pas ce que cela représente, pour nous, Lituaniens, de pouvoir aller à l'église sans se poser de questions. Ou d'avoir, dans un tiroir ou une bibliothèque, une bible en langue lituanienne. Une bible à nous.

– Il n'y en avait pas dans les librairies ? »

Elle répondit par la négative, avant de préciser :

« Enfin, très peu d'exemplaires, les tirages autorisés étaient infimes. Une seule bible souvent pour tout un immeuble ou toute une rue. »

Autant dire impossible, ou incroyablement chère à remplacer quand les Évangiles du marché noir valaient quinze jours (ou plus) de salaire.

C'est pourquoi, de la vieille bible de famille, aux pages tachées et cornées par des générations de doigts, on ne se séparait jamais.

«On la cachait sous les planchers, elle ne sortait que les dimanches.»

La prêter, aux voisins, aux amis, c'était attendre pendant des jours, des semaines, son retour. Le temps qu'elle se promène de foyer en foyer, de rue en rue. Quelquefois, elle se perdait en cours de route. Non, il valait mieux ne pas s'en séparer.

N'étaient les quelques touristes intrépides – des Occidentaux apportant chacun sa bible de contrebande –, le nombre d'exemplaires en circulation aurait été plus bas encore.

«Tu aurais pu nous en apporter une, me dit-elle brusquement, de l'air de quelqu'un qui parle d'expérience. Je veux dire, si tu avais eu la même tête à l'époque. Tu as une tête qui inspire confiance. Personne ne t'aurait arrêté.»

Avant que j'aie le temps de réagir, elle poursuivit:

«C'est vrai. Et on t'aurait donné des samizdats en retour: *Lietuvos Katalikų Bažnyčios Kronika* (Chronique de l'Église catholique en Lituanie), ou d'autres pages de témoignages tapées à la machine. C'était comme ça que le reste du monde apprenait ce qui se passait chez nous. Ah, mais tout cela, c'est du passé maintenant.»

Je changeai de conversation et évoquai les mormons que je croisais de temps en temps, debout au milieu de la grand-rue, non loin du centre social: la vingtaine comme moi, en chemise amidonnée et cravate (ce qui leur donnait l'air de s'être déguisés avec les habits de leur père), parlant un mélange d'anglais de l'Utah et de lituanien rudimentaire. À côté d'eux, sur une table, des piles de leur livre saint traduit en russe.

Je m'attendais à ce qu'elle dédaigne ces piles de livres en langue russe ; en quoi je me trompais, car elle me dit d'une voix enthousiaste :

«Ils sont charmants, ces mormons.»

Et de même qu'à propos des mormons elle s'était montrée d'un enthousiasme exemplaire, de même elle se réjouissait de la réapparition de cultes anciens. Ceux des païens – quelques milliers – qui vénéraient Perkūnas, le dieu balte de la Foudre. Ou ceux des Tatars – quelques milliers aussi – qui se réunissaient dans les forêts, dans des cabanes de prière, et que l'étudiante voyait passer en octobre lorsqu'elle allait aux champignons. Des cabanes à l'odeur de pin, argentées de bouleaux, blanches des toits d'étain, rouges des renards qui couraient devant. Les rites tatars, m'expliqua-t-elle, datent de bien des siècles, de l'époque du Grand-Duc qui les a introduits avec les soldats des steppes.

Le jour finit par tomber. Une lumière voilée adoucissait la ville. Nous avions réglé l'addition et, tout en continuant de parler, nous nous sommes dirigés vers mon arrêt de trolleybus.

★

Mi-juin 1999. Fin des leçons. J'allais devoir rentrer en Angleterre, je n'avais aucun moyen de rester à

Kaunas, et cette perspective ternissait quelque peu les dernières semaines de mon séjour.

C'est que je m'étais attaché à ces dames. Depuis des mois, elles m'avaient transformé. Nous avions pris l'habitude de nous retrouver chez moi, après le cours, dans des réunions hebdomadaires, pour papoter et prendre le thé. Un soir, à l'avant-dernière réunion, l'étudiante aux cheveux noirs coupés court me présenta sa fille unique.

Celle-ci voulait faire mon portrait. Elle avait la même coupe que sa mère, faisait des études d'art à l'université et se sentait promise à une carrière d'artiste. Elle revint me trouver, un après-midi, munie de ses crayons, bâtonnets de fusain, feuilles de papier Ingres, et je dus passer une heure sur mon fauteuil à ne pas bouger d'un pouce tandis que, depuis le canapé, tour à tour, elle dévisageait la feuille sur ses genoux, actionnait son crayon ou son bâtonnet, et me jetait des regards d'une étrange neutralité. Lorsqu'elle eut terminé, ses mains étaient noires de charbon. Elle signa le portrait au bas – une petite griffe inexpressive au crayon, comme si elle ne s'était pas encore décidée sur sa signature d'artiste – et me le remit. Je me sentais en confiance avec elle. Je lui dis : « C'est très réussi. » Et plus je regardais le dessin – les traits, le jeu des ombres –, mieux m'apparaissait la ressemblance. J'en fus ravi. Ce n'était pas le portrait d'un professeur d'anglais, ni d'un inadapté, mais celui d'un jeune homme qui avait passé toute son enfance dans les régions de son propre pays intérieur.

Désastre

La banlieue de Londres n'avait pas changé en un an. L'ennui. Les sirènes de police. Et, à mesure que les jours, puis les semaines, puis les mois m'éloignaient de mon aventure lituanienne, j'éprouvais le besoin d'en convoquer le souvenir.

À mon habitude et dans ce but, je me rendis à la bibliothèque municipale pour emprunter tout ce qui touchait de près ou de loin à cette nation. En temps normal, ma récolte aurait été assez maigre, peut-être un atlas et un guide de voyage ; mais il se trouvait que la Lituanie constituait le décor d'un livre de mémoires paru en Angleterre l'année précédente. Ouvrage que me conseilla vivement un autre rat de bibliothèque. L'auteur, Dan Jacobson, un professeur de littérature né en Afrique du Sud, avait marché sur les traces de son grand-père lituanien, le rabbin Yisrael Yehoshua Melamed, dit Heshel. Le livre, intitulé *Heshel's Kingdom*, peignait un Kaunas d'avant-guerre bien différent de celui que j'avais connu. Centre économique et culturel pour les fermes qui l'entouraient, et dont la population oscillait entre un tiers et un quart de juifs, il faisait vivre toutes sortes de marchés, une presse libre (y compris pas moins de cinq quotidiens en yiddish) et abritait de nombreux artistes.

Allongé de nouveau sur le tapis de ma chambre, tandis que je tournais les pages du Jacobson, je me disais : « Tu crois tout connaître de ce territoire, de son histoire, de son peuple. Il n'en est rien. L'étudiante n'a pas dû oser t'en parler et tu n'as pas su voir.» Il existe à Kaunas, écrivait Jacobson, un bâtiment de brique rouge, ancienne forteresse de la ville. Je reconnus le Neuvième Fort. Il m'arrivait parfois de longer à pied les champs d'avoine qui le bordent. Une rue, puis une autre, puis une troisième, et voilà mon appartement, tout proche du fort dont la réputation avait été passée sous silence. À dire vrai, dans le voisinage paisible de ce quartier pour personnes âgées, je n'avais vu de cet édifice que les murs rouges et poussiéreux. Jacobson les avait remarqués lors de sa visite, en 1995, ainsi qu'une dalle, dans l'un des champs, où il était écrit en lituanien, russe, hébreu et anglais : «*This is the place where Nazis and their assistants killed more than 30,000 jews from Lithuania and other European countries.*» (À cet endroit, les nazis et leurs alliés ont tué plus de 30 000 juifs de Lituanie et d'autres pays européens.)

Ces mots inaudibles me causèrent un haut-le-cœur.

Ce fort, expliquait Jacobson, avait servi de prison et de théâtre d'exécution aux nazis. Il l'avait lui-même visité, était descendu dans le noir et le froid du bunker et avait décelé une inscription griffonnée sur la paroi enduite de chaux : «nous sommes neuf cents Français» – des déportés de Drancy. Quelques-uns avaient laissé leur nom, la mention d'une date ou d'un lieu, je les lisais depuis ma chambre : «Lob, Marcel, mai 1944»; «Wechsler, Abram, de Limoges – Paris, 18.5.44», «Max Stern, Paris, 18.5.44», «Herskovits L'Anvers de Monaco via Drancy Paris, Kaunas».

Cette liste me fut insupportable. Je refermai le livre et le rendis à la bibliothèque.

C'est seulement des années plus tard, après mon déménagement à Paris, capitale qui jadis connut elle-même l'occupation allemande, ville du Vél' d'Hiv', de rafles, de «certificats de non-appartenance à la race juive» – c'est seulement après être devenu parisien, donc, que me sont remontées à la mémoire certaines scènes et sensations de la Lituanie.

Je fis un rêve dans lequel je longeais les champs d'avoine, comme pour regagner mon appartement. C'était une fin d'après-midi de printemps – à en juger par la lumière et l'absence de neige –, à l'heure de ma sortie de cours d'autrefois. Des gens que je ne connaissais pas, des hommes barbus, des porteuses de châle, me demandaient leur route. Mais je ne comprenais pas ce qu'ils me disaient. Seulement leurs gestes. Je leur répondais, en lituanien : «Excusez-moi. Je ne suis pas d'ici.» Je regrettais vivement de ne pouvoir leur venir en aide.

Un autre rêve : je suis en retard pour le thé avec mes étudiantes, je prends un raccourci et je cours à travers le champ. Lequel me semble parsemé de bûches, de sorte que je ralentis pour ne pas buter contre l'une d'elles. Après quelques pas, je me rends compte qu'il ne s'agit pas de bûches mais de corps allongés dans l'herbe. Je sors à toutes jambes du champ en poussant des cris.

Au fil de mes recherches, j'ai découvert les 200 000 juifs assassinés en Lituanie – dont des milliers de victimes acheminées depuis la France, l'Allemagne, l'Autriche et la Tchécoslovaquie. Seuls 5 % de la population juive lituanienne auront échappé à cette destruction, qui fut amorcée par l'arrivée des nazis à Kaunas le 24 juin 1941.

Si de nombreux Lituaniens ouvrirent grand les portes de leurs églises, orphelinats, appartements pour abriter les Izaak, Rachela, Abromas et Miriam en quête d'un refuge, d'autres s'accommodèrent de ce régime meurtrier, fermèrent les yeux ou encore y prêtèrent main-forte. Sans doute à cause de leur enthousiasme sinistre, l'anéantissement des juifs s'accomplit à une vitesse effrénée. C'est ainsi que l'officier SS et chef de l'Einsatzkommando Karl Jaeger avait pu écrire, dans un rapport rédigé à Kaunas le 1er décembre 1941 : «Aujourd'hui il m'est possible d'affirmer que le EK3 a atteint l'objectif fixé, il a résolu le problème juif en Lituanie. Il n'y a plus de Juifs dans le secteur, excepté les travailleurs juifs affectés à des tâches spéciales.» S'ensuivait une longue liste de chiffres, d'une précision glaçante, détaillant, jour après jour et lieu après lieu, le nombre exact d'exécutions commises par ses troupes et leurs complices. On pouvait y lire, par exemple, qu'en la seule journée du 29 octobre 1941, dans le Neuvième Fort à Kaunas, avaient été assassinés «2 007 hommes juifs, 2 920 femmes juives, 4 273 enfants juifs». Au-dessous de ces chiffres, une note explicative de Jaeger : «Nettoyage du ghetto des Juifs superflus».

À la seule lecture des mots «Neuvième Fort», mon cœur s'était serré. J'ai passé en revue mon ancien voisinage. Y habitaient-ils encore, quand j'y logeais, ces bourreaux de jadis, ces «papys» aux cheveux blancs, ou bien avaient-ils tous disparu avec les années Staline, Khrouchtchev, Brejnev?

Je fus hanté un temps par cette question. Je repensai à tous les gens que j'avais côtoyés là-bas. Je repensai à mon ex-propriétaire, Jonas, au visage mangé par une barbe blanche : j'avais beau me rappeler sa douceur, sa gentillesse, d'irritants soupçons m'assaillaient. Non! Quand je l'ai connu, Jonas n'était qu'un jeune retraité ; dans les années 1940, il n'avait pu que jouer avec des pistolets en bois. Restaient les autres locataires de mon petit immeuble, des hommes ridés et taciturnes qui, dans la cage d'escalier, m'ignoraient, et dont la plupart appartenaient à la génération précédente. À l'époque, l'un d'eux avait éveillé ma curiosité, et maintenant, tandis que je fouillais dans ma mémoire, un détail en apparence anodin refaisait surface.

Devant l'immeuble, dans le jardin collectif que surplombaient les fenêtres de mon salon, se trouvait un potager où petits pois, oignons, pommes de terre et un tas d'autres choses étaient cultivés. Chaque matin au printemps, très tôt, le vieux voisin du rez-de-chaussée arrosait. Il avait un crâne chauve et de grosses mains velues arracheuses de mauvaises herbes. C'était un homme agité et nerveux. Il était capable d'identifier ma présence rien qu'au bruit de mes pas quand je descendais l'escalier. Alors, il rentrait chez lui, en se hâtant, comme pour ne pas croiser l'«Anglais du quartier». Je sentais dans mon dos son regard froid à la fenêtre, quand j'avançais dans l'allée, ouvrais le portail puis disparaissais dans la rue. À l'époque, j'avais presque de la pitié pour lui; le voisin semblait n'avoir aucune famille. Aujourd'hui, pour tout dire, je ne sais toujours pas quoi en penser.

Une autre image me revient plus nettement encore: une excursion que j'ai faite en pleine campagne, à une heure de Kaunas, vers la fin de mon séjour. De la terre laissée en friche à perte de vue, baignée par une lumière d'été. Le calme absolu. Il ne fallait pas s'y tromper, mais comment aurais-je pu savoir sans Jacobson et, plus tard, mes recherches parisiennes? Ce champ abritait autrefois un shtetl, un village juif. À présent, à force d'imagination, je le reconstituais: des chaumières, des toux matinales, des jeux de cartes qui tuaient les interminables soirées d'hiver.

Les rêves, les souvenirs, cette façon qu'ils ont de vivre en nous comme de leur propre vie, me rappellent les mots que j'ai consignés sur mon carnet après ma lecture de Jacobson en Angleterre: «Le savoir est dynamique, se modifie, se transforme sans cesse, et nous transforme – il n'est jamais stable. Ce qui est stable, fini, enclos, n'est qu'un ersatz de savoir.»

II

CONVERSION

CONVERSION, *nom féminin* :

Action de tourner ; mouvement qui fait tourner.

Changement de quelque chose en quelque chose d'autre ; mutation.

Action d'adhérer à une religion, de passer de l'incroyance à une foi religieuse.

Refuge

Environ un an après mon retour en Angleterre, j'ai quitté la banlieue et la maison parentale et suis descendu dans le comté de Kent chercher un quelconque sens à ma vie.

J'ai échoué à Herne Bay, une petite ville côtière. On la rate facilement : on s'endort dans le train et on finit à Margate ou à Ramsgate. Les touristes français n'y vont pas ; ils vont, comme toi adolescent, visiter Canterbury – plus chic avec sa cathédrale et ses salons de thé –, à dix kilomètres de la baie.

En Herne Bay j'avais trouvé un refuge, c'est en tout cas ce que je croyais. Un lieu sûr, loin de Londres, loin de tout, au bout du pays. Les retraités, nombreux et actifs, y coulent des jours paisibles. Les mouettes aussi, qui prospectent les poubelles. Et les pêcheurs hâlés que les vaguelettes bercent.

Vivre au bord de la mer, c'est l'avoir pour compagne. Partout, avec son odeur et son sel, elle s'insinue dans les sacs et les cheveux ; elle grignote les façades des immeubles ; elle tire sans cesse les pensées vers l'horizon. D'ailleurs, les gens de la baie la disent curative, ces

baigneurs du petit jour qui en sortent grelottants et rougis, et qu'un passant peut voir grandir à mesure qu'ils
remontent les galets noirs en direction de leurs habits.
Moi, je ne pouvais détacher mes yeux des vagues.

Leur musique cadencée rappelait d'autres plages – et,
comme je le faisais dans mon enfance, quand nous pas-
sions des vacances à Norfolk, je me dirigeais jusqu'au
bord de l'eau avant de m'arrêter tout net. J'avais beau
avoir plus chaud ici l'été, avoir libéré mes orteils de mes
chaussures et retroussé mon pantalon, me dire que le
passé n'était plus une raison pour ne pas avancer maintenant, je demeurais là figé comme pour toujours – au
sec. Et chaque fois le chemin rebroussé, un seul et
même mot vibrait faiblement en moi : demain. Si seulement demain... J'apporterais une serviette. L'eau serait
bonne, calme, accueillante. Je tremperais d'abord les
talons, les tibias, puis jusqu'aux genoux. L'eau saurait
faire le reste.

Demain.

Était-ce l'ennui, les fenêtres à guillotine rue après rue
qui ne semblaient jamais s'ouvrir, les nuits souvent longues et blanches ? Je me sentais anesthésié. Je ne vivais
plus, faisait seulement acte de présence. Le week-end,
depuis mon petit logement, j'appelais mes parents et
tentais de les rassurer. Ça ira, ça ira.

Je me demande ce que tu aurais bien pu penser
du moi, au début de ces années 2000, si par hasard
nous nous étions rencontrés – dans l'un de mes cours

particuliers d'anglais, par exemple (moyennant dix livres sterling de l'heure)? Le moi d'alors aux yeux bleus fuyants, au front soucieux. Peut-être aurions-nous discuté de ce jeune Premier ministre du nom de Tony Blair ou de cette drôle de monnaie qu'est l'euro? Mais pour cela, il aurait fallu que je sois dans un bon jour. Être dans un bon jour, il faut dire que cela ne m'arrivait pas souvent en ce temps-là.

Les familles de la baie pouvaient me louer comme professeur de langues mais, l'anglais s'avérant peu rentable ici, j'arrondissais mes fins de mois en donnant des cours de maths. Et chaque fois que j'expliquais à un élève le nombre pi, une phrase rencontrée dans mes lectures me revenait: «Dieu est un cercle dont le centre est partout et la circonférence nulle part.» Dans quel livre l'avais-je lue? Je ne m'en souvenais plus. L'oubli, gueule ouverte, avait tout englouti, sauf elle.

Les livres n'étaient pas prioritaires dans une ville comme Herne Bay, mais elle disposait néanmoins d'une modeste bibliothèque – juste en face d'un temple protestant –, et bientôt ma vie se nicha entre elle et mon chez-moi. Une demi-heure de marche, quand il ne pleuvait pas à verse. Je m'arrêtais en route de temps en temps pour mieux distribuer entre mes bras le poids des livres empruntés. La lecture, comme toujours, servait de dérivatif à ma précarité. C'est ainsi que je laissais passer les jours, les semaines, les mois.

Pour être tout à fait précis, j'abandonnai les romans; je me disais que j'en avais désormais passé l'âge! Je n'avais vraiment plus la tête à ça. Les romans? Que de mensonges, de fantasmes, de balivernes, qui, sous la plume d'un auteur, prennent le nom honorable de «fiction». À cette époque, la fiction et moi avons failli nous séparer à jamais. À quoi bon suivre les mésaventures d'untel, les peines de cœur d'une autre, les intrigues qui ne tenaient pas la route, se perdre dans d'inutiles digressions? Apprécier la beauté d'un style, les félicités d'une prose, je pouvais. Mais cela me semblait bien insuffisant.

(Il me faudrait attendre quelques années avant la réconciliation – Tolstoï fut l'un des entremetteurs. Proust aussi.)

Je l'aimais pourtant, la littérature. À son état pur, c'est-à-dire la poésie. J'en appréciais déjà toutes les subtilités. La poésie, au moins, ne s'abaissait pas aux «rebondissements», aux ruses des fausses pistes, pour nous faire tourner les pages. Au contraire, sa logique de formes et de rimes m'apparaissait claire et transparente, témoignant d'une recherche de justesse similaire à la pensée humaine. D'où viennent la pensée et la poésie? me demandais-je en lisant cette dernière, tout en espérant mieux comprendre la première. Elles qui, toutes deux, échappent au joug de la seule raison. Elles sont le fruit de la perception, certainement, ainsi que de l'intuition: un frisson dans la tête, des combinaisons mentales fortuites, les restes d'un rêve.

Tout comme les vers qui surgirent, une nuit de 1797, dans l'esprit d'un Samuel Taylor Coleridge endormi. À l'époque de Herne Bay, je les relisais souvent.

Espérais-je avoir ainsi, selon le sous-titre du célèbre poème, «une vision dans un rêve»?

En Xanadu donc Koubla Khan
Se fit édifier un fastueux palais :
Là où le fleuve Alphée, aux eaux sacrées, allait
Par de sombres abîmes à l'homme insondables
Se précipiter dans une mer sans soleil [...]

Au sortir de la bibliothèque, je tournais le dos à la mer puis remontais alors jusqu'à chez moi en longeant des ruelles aux noms champêtres : Gorse Lane («chemin des ajoncs»), Barley Close («passage de l'orge»), Peartree Road («rue du poirier»). Une pommeraie marquait la limite des habitations. Quelques voisins grimpaient dans les arbres, les secouaient quand ils prenaient les couleurs de l'automne. Leurs fruits remplissaient à ras bord les paniers en osier, parfumaient les fours qui les transformaient en tartes et crumbles. Une voisine m'en apporta un jour en guise d'excuses : les murs étaient minces, j'entendais tout de leurs disputes. Son mari avait déjà le cidre triste.

Je m'allongeais dans mon petit salon sur un sofa acheté pour trois fois rien et j'y lisais jusqu'à point d'heure. J'étais dans ma phase «biographies de grands hommes». Des tomes imposants consacrés à Darwin, Gandhi ou Martin Luther King, que je tenais ouverts en appui sur mon ventre, me renvoyaient à ma propre existence. Devais-je, à la manière de Darwin, dresser des listes d'avantages et d'inconvénients pour toute chose, soupeser le pour et le contre y compris de tomber amoureux (parmi les arguments contre, selon lui : «moins d'argent pour les livres»)? Me mettre à jeûner? Ou à l'épreuve d'un combat politique?

En quoi consistait au juste une vie réussie?

Telle était l'ardente question! Et tandis que la réponse tardait à se faire connaître, je pris quelques résolutions : je ferai un minimum de cinq heures de sport par semaine – vélo, course à pied, pompes, au choix; j'arrêterai de grignoter – moins pour garder la ligne que pour travailler la maîtrise de soi; je limiterai ma consommation de livres, excepté l'étude attentive des Évangiles (d'après un biographe de Gandhi, le Mahatma les lisait souvent et en tirait de précieux conseils).

Mais toujours je repoussais à plus tard la mise en pratique de ces bonnes résolutions.

Cela faisait bien des années que je n'avais plus pratiqué de sport...

Je revois encore ce garçon blond et blême, tremblotant au bord de la piscine municipale, à l'écart des autres élèves. L'inspection des pieds à l'affût de verrues, le contact froid des carreaux visqueux, l'eau qui empeste le chlore et brûle les yeux. Ses camarades piquent une tête, d'autres enchaînent les longueurs, d'autres encore se mettent sur le dos et flottent. Lui s'accrochera de nouveau aux planches en mousse, qui lui font l'effet de livres à jamais fermés. Ce qu'il fait dans l'eau ne mérite pas le mot «nager». Il peut seulement battre les pieds en fixant les planches sous ses aisselles, fouetter des mains cette eau dédaigneuse qu'il ne dompte pas. Combien de fois lui a-t-elle décoché une ruade, l'a-t-elle jeté bas?

«Si j'avais pu la siphonner, quelles prouesses dans le bassin – crawl, papillon – n'aurais-je accomplies?» Telle était l'illusion absurde longtemps entretenue par l'enfant.

La peur de couler à pic raidissait tout son être, lui coupait le souffle, tandis que les années s'écoulaient les unes après les autres.

La voix des philosophes

Je vivais par l'intermédiaire de mes livres. En dehors des cours et des courses, je lisais matin, midi et soir. Sur le canapé, après que j'avais tourné une énième page, médité sur un vers ou un passage que je venais de terminer, une partie de moi réclamait déjà son prochain aller-retour à la bibliothèque. On ne s'en étonnera guère: celle-ci ne fit bientôt plus face à ma demande, il fallut faire venir mes commandes d'autres coins du comté. Lentement. Des textes de philosophie, de plus en plus, des ouvrages souvent encrassés de poussière venus directement du dépôt, Kant et ses confrères trouvant visiblement peu de lecteurs par ici, ainsi que le confirmaient les dernières dates de retour – «APR 28 1986» ou «FEB 3 1970» – tamponnées en violet, en rouge ou en bleu turquin.

J'attendais beaucoup de ces lourds ouvrages. Ils avaient des index bien fournis, impeccablement alphabétisés et numérotés, comme une promesse de l'ordre dans lequel mes pensées allaient enfin se ranger. Les premières pages m'étaient souvent les plus difficiles : certains paragraphes me semblaient d'autant plus incompréhensibles qu'ils se composaient de mots désuets, de phrases à rallonge et de jargon. Malgré cela, je faisais preuve de persévérance (l'une des vertus apprises dans mes biographies de grands hommes). Je prenais mon mal en patience, compulsant un bon dictionnaire, m'accrochant. Comme à une bouée.

C'était le son du mot «philosophie», un son grave et érudit, qui m'avait attiré au départ. Je l'entendais à la radio, la BBC World Service qui ronronnait sur mon vieux Walkman depuis mon séjour à l'étranger. Parfois tard le soir il surgissait fièrement, dans les émissions littéraires telles que *Off the Shelf* et *The Word*; parfois l'après-midi, au détour d'un débat politique. Et toujours il était prononcé d'un ton révérencieux – celui autrefois réservé à la théologie –, comme pour signifier qu'on touchait là le fond des choses.

Ainsi, dans le secret de mon salon, j'ai écouté parler les philosophes avant de les lire. Ils semblaient donner voix à une urgence que je ressentais de plus en plus fort depuis quelque temps; depuis ce mardi de septembre et cette émission porteuse de la nouvelle que des avions aux États-Unis venaient d'être transformés en bombes volantes. Ce jour-là, j'écoutais en direct le flash info de quatorze heures : un beau matin de fin d'été à New York, un Boeing 767 s'écrase contre la tour nord du World Trade Center. Trou béant, fumée noire, des centaines de morts. Les programmes sont interrompus. Les voix changent brusquement, toute légèreté les quitte. Quelques minutes plus tard, on annonce un autre crash, contre la tour sud. « *Oh my God* », chuchote-t-on dans les microphones. Encore des flammes et des morts. Les tours perdent verre, papiers et personnel. Quatorze heures dix, vingt, trente : reporters qui supputent, sirènes des pompiers. Autant que peuvent le laisser supposer les cris de « *get back !* » (« reculez »), la confusion et la panique gagnent les New-Yorkais. Soudain, un troisième avion s'abat sur le Pentagone. Impossible de me détacher de la retransmission ; j'étais tout dans mes oreilles. Quinze heures, un grondement effroyable : le bruit de cent dix étages – la tour sud – qui s'effondrent. Puis, la rumeur d'un quatrième avion se matérialise ; mais celui-ci s'écrase au sol, non loin de Washington. Quinze heures trente, la tour nord éclate elle aussi en débris. Partout, les cendres fument d'une fumée âcre qui fait tousser les témoins. On compte les morts et les blessés par milliers. À l'antenne quelqu'un dit : « Aujourd'hui, le rêve américain s'est brisé. » Je pensais : Ça recommence, tout ça n'a pas de fin. Les horreurs ne manqueront jamais dans ce bas monde. Elles nous gangrènent depuis la nuit des temps. C'est notre réalité. Aucun rêve, aucune vision de lendemains meilleurs, ne saurait longtemps supporter le réel. À son seul contact, ils se tordent, se déforment, se fracassent.

J'enviai les Australiens dormant paisiblement leurs quelques heures d'innocence. Dans ma tasse, un thé bon marché froid. Seize heures, l'ordre est donné d'évacuer Downtown Manhattan. Dix-sept heures, plus un seul avion dans tout l'espace aérien américain. Toute la soirée, je suis resté collé à mon Walkman pour écouter, à une heure trente du matin, le président Bush s'adresser au monde : « Ce soir, j'en appelle à vos prières pour tous ceux qui pleurent, pour les enfants bouleversés, pour tous ceux qui se sentent menacés. » Puis il a récité un verset bien connu du Psaume 23 :

Quand je marche dans la vallée de l'ombre de la mort,
je ne crains aucun mal, car Tu es avec moi.

Dès lors, on parla partout de terrorisme global, d'un « axe du Mal », on vit se dessiner, dans un avenir proche, de nouvelles guerres. On convoqua les philosophes anciens, des noms aux consonances grecques ou allemandes, pour aiguiser la compréhension des auditeurs.

Cela peut te surprendre, toi qui as appris la philosophie dès le lycée, que je ne m'y sois pas intéressé plus tôt. Mais en Angleterre, nous n'étudions point les philosophes, ni d'ailleurs les langues anciennes. Nous n'avons pas cette culture. C'est pourquoi les premières pages de leurs livres me parurent si obscures, pourquoi il fallut m'accrocher, fournir un gros effort d'adaptation, après lequel elles me résistèrent de moins en moins. Je n'aurais certainement pas été un lecteur chevronné si je n'avais su sauter la ligne de trop pour aller à l'essentiel.

Je m'absorbais dans de longs passages déployant le sempiternel débat sur l'Homme : est-il né bon ou mauvais ? J'empruntais les pensées des grands hommes, j'étais tour à tour Rousseau, Nietzsche, Platon... Tout disparaissait autour de moi et j'imaginais que ma main connaissait jusqu'au chinois, qu'elle couchait sur de la soie des caractères verticaux, de droite à gauche, en commençant par mon nom de sage confucéen.

Pour un peu, je me serais laissé envoûter par l'implacable logique de ces textes. Mais à mesure que je les apprivoisais, je me rendais compte qu'ils ne collaient pas aux choses. Trop abstraits, leurs mots rougissaient à peine quand il était question de colère ; ne chantaient point au sujet de l'harmonie ; s'essoufflaient en évoquant la vie. Ils ne dessinaient rien sinon des schémas.

Je me plaisais alors à parcourir les notes marginales, au crayon gris ou au stylo-bille, laissées par les lecteurs précédents : «*what rot!*» («sottise !»), «*spot on!*» («tout à fait !») ou, sous le nom d'un penseur : «*idiot*». Certains mots étrangers étaient soulignés, puis traduits, plus ou moins bien, en anglais. D'une écriture serrée, on avait corrigé erreurs et fautes de frappe. Des passages entiers se trouvaient gratifiés d'un point d'exclamation ou d'interrogation.

Je crois que c'était dans une traduction anglaise des *Confessions* de Rousseau que quelqu'un avait écrit, en tout petit, dans la marge : «*I understand. All my life, I've been treated like someone I wasn't*» («Je comprends. Toute ma vie, on m'a traité comme quelqu'un que je n'étais pas»).

À quoi, une autre main, à l'encre verte, avait ajouté : «*Me too*» («Moi aussi»).

J'attendais impatiemment le printemps, sa lumière et sa douceur. Et quand il venait, dès qu'il faisait beau, je me mettais sous le pommier du jardin. C'était un vieux pommier, gros et robuste, qui donnait encore du fruit et de l'ombre fraîche. Selon la température du jour, on sentait parfois son haleine végétale, légèrement pimentée. Sous le camouflage de son feuillage – et à condition que le couple d'à côté ne se dispute pas –, dans la paix du jardin, on entendait roucouler des pigeons ramiers.

Ainsi que le crissement du papier. Comme ces fois où le vent, lecteur plus rapide que moi, tournait mes pages et me devançait. J'abordais la notion de liberté – le libre arbitre existe-t-il ? –, vaste débat qui divise par exemple Aristote et Spinoza. Pour ce dernier, l'homme libre est celui qui se contente de ce qu'il doit être, agissant ainsi selon la seule nécessité de sa nature. Jolie phrase, mais tout de même, qui décide de ce que chacun «doit être» ? La société ? L'argent ? Les puissants ? Est-ce bien cela, la liberté ? me disais-je. Non. Je ne pense pas. C'est William James, le philosophe américain, qui conforta mon intuition : le libre arbitre existe à partir du moment où l'on y croit. Et j'y croyais. J'y tenais même énormément.

De temps en temps, quelqu'un sonnait à la porte et interrompait ma lecture – un monsieur qui vendait son miel, une voisine sa confiture de mûres ; elle cueillait les fruits sauvages qui poussaient dans les haies. Parfois, un propriétaire de poules avec ses œufs. Ou un nouveau laitier qui se trompait d'adresse (« Mme Saunders ? »).

Étrange, maintenant que j'y pense, que ne frappèrent jamais à ma porte des témoins de Jéhovah. Cela dit, c'était vraiment la rase campagne.

Théories contradictoires

Les étés brûlaient, ma tête aussi. Les pigeons se taisaient, mais pas le papier. Une fois, je me suis confronté à des pavés scientifiques portant sur la conscience. Neurologues, psychologues ou psychiatres y allaient chacun de sa théorie. Pour l'un, le cerveau n'était qu'une sorte de machine ; ainsi la connaissance de soi, le sentiment d'avoir vécu, ne constituaient que des bugs. Pour un autre, des idées virales sautant de tête en tête manipulaient nos pensées : une proposition qui a le mérite de ne prétendre à aucune nuance. Pour un troisième, notre « je » n'étais tout bonnement qu'illusion. Pour un quatrième... Ah, on ne compte plus les théories !

À noter que la plupart de ces grosses têtes prenaient leurs concurrents de haut, assurant qu'ils avaient faux sur toute la ligne.

C'était plus que décevant. T'écrirai-je tous les sophismes que j'ai repérés?

Le plus beau: je me suis également abreuvé à des sciences dites exactes, tu sais, les télescopes, les sondes, les calculs à la fraction de seconde près. Des pages et des pages à la recherche de repères fiables, au lieu de toutes ces théories. Et, en fin du compte, qu'ai-je trouvé? La physique donne des réponses non moins divergentes! Par exemple, à propos de notre cosmos, l'encyclopédie *Britannica* répertorie le modèle d'un univers fini, d'un univers infini, d'univers multiples (ce que l'on nomme également «le multivers»), celui de mondes parallèles... À lire certains physiciens, tout ce qui existe se répète quelque part dans notre univers, tout, absolument tout, c'est une simple question de distances: éloigné de milliers de millions de milliards d'années-lumière, ton jumeau cosmique ouvre un livre sur la phrase: «À lire certains physiciens, tout ce qui existe se répète quelque part dans notre univers, tout, absolument tout, c'est une simple question de distances.» D'autres affirment que ce qui n'existe pas dans notre univers se trouve ailleurs dans une réalité parallèle, un monde où les poules ont des dents, où Jeanne d'Arc est vingt fois mère, où l'or a la couleur du charbon. (Vision qui me rappelait des vers où le poète Lucrèce imagine un nombre infini d'atomes s'assemblant de moult façons, par rencontre fortuite, dans l'immensité de l'espace – car impossible pour lui de concevoir qu'autant d'atomes chôment –, de sorte qu'émergent partout et en permanence des multitudes de Terres, de cieux, de créatures.)

Un jour, sous le pommier, un paragraphe particulièrement abstrait eut raison de mon attention. Il développait l'idée d'univers à profusion, qui finissait par rendre le nôtre insignifiant. Je fermai le livre, j'en levai les yeux, je revenais à moi. Et, tout à coup, me retrouvai au milieu de ces fleurs que je n'avais pas plantées et dont j'ignorais le nom. Sinon les roses, bien sûr, tout le monde connaît les roses. Et les tournesols. (Toi qui aimes les fleurs, tu les aurais sûrement toutes reconnues.)

Porte ouverte

Je ne serais peut-être jamais allé au temple, n'eût été le panneau d'affichage de la bibliothèque et la grande feuille de papier punaisée qui demandait : « *Got questions about life ?* » (« Vous avez des questions sur la vie ? »)

Je suis rarement bon public pour les affiches ou les slogans. Je ne me laisse pas convaincre facilement. Cela explique d'ailleurs que j'aie passé outre quantité d'angoisses et de fantasmes modernes. Déjà à l'époque de Herne Bay je faisais peu de cas des prévisions des futurologues, la vie s'en rit toujours : non, d'ici 2020, les livres ne seront pas devenus obsolètes ; non, des robots n'auront pas volé tous nos emplois ; non, l'intelligence artificielle n'aura pas surpassé Picasso, Mozart, Shakespeare...

Qu'est-ce que tu veux, je tiens, au moins un peu, de mes parents ! Aussi, je ne m'attendais pas à trouver quelque réponse que ce soit à ce cycle de «portes ouvertes». Je me disais seulement qu'entre personnes malmenées par la vie, nous pourrions peut-être nous comprendre, du moins lier connaissance. Tout valait mieux que cette vie en suspens qui risquait de compromettre mon avenir.

Un mardi de septembre, à 18 heures passées, je descendis vers la côte, le long de Mickleburgh Hill, pour déboucher sur la grand-rue. Elle était déserte ; ses quelques vitrines éteintes. Le rouge de la cabine téléphonique, au crépuscule, s'assombrissait, devenait pourpre. Sur le trottoir d'en face, tacheté de fientes de mouettes – au-delà des toits en tuile, la mer ronflait paisiblement –, se dressaient des maisons victoriennes, et là, au milieu, un bâtiment d'un étage en brique couleur sable, décoré de pilastres : le temple.

J'hésitai à en franchir le seuil. Je jetai des regards furtifs, de droite à gauche, vers la rue déserte. Soudain je vis la porte s'ouvrir, un sourire inconnu. J'entendis une voix d'homme me dire : «Bienvenue !» Plus le choix maintenant, je n'allais pas m'enfuir.

L'homme me dévisagea tandis qu'il se penchait vers moi. «Comment vous appelez vous ?» Je répondis.

«Bonsoir, Daniel. Heureux de faire votre connaissance. Venez, si vous le voulez bien, c'est par ici.» Il poussa une autre porte, qui donnait dans la salle principale. L'intérieur se révéla être plus grand qu'on aurait pu le croire depuis la chaussée.

Un brouhaha de conversations. Tout devant, celui qui m'avait ouvert la porte, flanqué d'un autre homme, accueillait les fidèles. À son aisance, son sérieux, je reconnus le pasteur. Il ne ressemblait en rien au pasteur qu'on imagine : il ne portait ni col, ni croix, seulement une chemise blanche ouverte. Il avait plutôt l'allure d'un gérant de pub. Il devait être bel homme, plus jeune : les paroissiennes le buvaient des yeux.

Ça parlait, ça riait. Une belle complicité de croyants. Un échantillon des sept (aujourd'hui, deux) pour cent d'Anglais qui se rendaient encore aux services religieux. Des femmes surtout, de tous âges (en contraste avec le nombre d'hommes qui dominent les associations d'athées et de sceptiques). Tout le monde habillé de façon décontractée. À vingt-trois ans, allant sur mes vingt-quatre, je faisais partie des plus jeunes.

Ils étaient peut-être trois ou quatre comme moi, des athées aux idées larges ou des agnostiques.

Ces paroissiens, leurs visages ne me disaient rien, je ne les connaissais, pour ainsi dire, ni d'Ève ni d'Adam. Chose curieuse, car ces mêmes femmes et ces mêmes hommes, je devais bien les avoir déjà croisés dans les magasins locaux, dans la longue file d'attente chez le boucher, à la poste ou à l'épicerie ? Moins probablement chez le dentiste, pour lequel il fallait prendre un bus jusqu'à Canterbury.

On me questionna. Vous venez d'arriver dans la baie ? Et quand je répondais que non, on avait l'air étonné. Alors on voulait savoir ce que je faisais dans la vie et je ne savais trop quoi répondre ; ils me pensaient tous « étudiant ». Quand j'en eus assez de leurs questions, je bredouillai une excuse et m'en allai faire le tour du propriétaire, en attendant que la soirée commence. La salle, haute de plafond, me parut assez simple. Des chaises d'appoint, en bois foncé, empilées contre les murs blancs et humides. Sur l'estrade reposait une batterie pour les musiciens le dimanche. Ainsi qu'un micro, un écran de projection et un amas de câbles noirs pour les alimenter. Pas d'orgue. Pas l'ombre d'une statue de la Vierge ni de ces bougies qu'on trouvait dans les églises à Kaunas. Pas même un crucifix, mais, au-dessus de l'estrade, une imposante croix de bois clair (analogue à celle que je verrais quelques années plus tard dans un temple luthérien d'Islande). Une voix s'éleva en moi et me dit : « Éclipse-toi ! »

J'ai bien failli obéir.

Dans la pièce attenante, une petite table basse embarrassée de crayons gras, avec de petites chaises. Je vis sur l'étagère une bible illustrée pour enfants. Des dessins bariolés coloraient les murs : un arc-en-ciel ; une tache bleue qui se voulait baleine ; un Christ allumette.

Et encore cette voix en moi qui disait : « Éclipse-toi ! »

Bientôt, de plus en plus présente, flotta une odeur de cuisine. On installa des tables, distribua des assiettes pleines. Au menu, ce soir-là, repas chaud sans viande : du riz, des haricots rouges, de la sauce tomate, quelques épices (rien de trop pimenté), pas de fromage râpé pour le cas où il y aurait eu un végan dans l'assemblée. Le tout arrosé de thé ou de jus d'orange, servis dans des gobelets en plastique. Je m'assis au coin d'une table ; j'avais faim.

Lorsque la voix en moi répéta « éclipse-toi », une autre – enfin ! – rétorqua « non ! », puis « reste ».

Je ne me rappelle plus si quelqu'un a dit le bénédicité. Cela m'intrigue. Je suppose qu'on se voulait discret, qu'on l'a dit tout bas, pour ne pas incommoder les nouveaux. Non que cela m'eût incommodé. Vois-tu, j'ai toujours trouvé émouvant les petites attentions qui rythment la journée, comme quand un Anglais éternue et entend sa moitié lui dire « *bless you* » (« à tes souhaits ») en retour. Que de fois ai-je prononcé ces mots avant même de réfléchir à leurs sens (« que Dieu te bénisse »)! Le bénédicité, avec ses mots, ses gestes, je ne le connaissais pas encore. Aujourd'hui cette pensée pour tous ceux qui ont faim se colore du souvenir d'un vieux couple, observé il y a quelques années dans un aéroport du Kentucky. Deux grands-parents assis, côte à côte, à la table d'un restaurant. Moi, entre deux avions, les voyant baisser la tête, se prendre par la main et s'extraire du tohu-bohu du terminal. Un moment de grâce.

Confrontation

Après le repas, on nous a répartis, nous les athées et les agnostiques, dans les groupes de discussion. Je me suis donc retrouvé dans un cercle avec cinq paroissiens. Dont mes futurs amis : lui, la trentaine, T-shirt sous un pull, tête tondue, respirant la simplicité (il était à l'unisson du temple, sobre) ; elle, le teint clair, les cheveux raides, me lançant de brefs regards. On les avait improvisés chefs de groupe ; on leur avait même imprimé sur une feuille des instructions ou des suggestions, pour le bon déroulement de cette première réunion. Mais ils en semblaient si gênés que l'homme – appelons-le plutôt « le Baptiste » – prit la feuille, la plia en quatre et l'empocha d'un geste rapide ; tout juste le temps pour moi d'y attraper quelques mots :

Idées pour commencer : blague (optionnel).

Des blagues, ils n'en firent aucune.

Les autres me saluèrent d'un sourire incertain. Leurs corps fatigués ne me paraissaient pas promis à une quelconque résurrection. À ma gauche, deux dames : la plus proche était entre deux âges, les joues grosses et rouges, les cheveux blonds et bouclés, elle se mordait les lèvres et quelque chose me disait que dans un autre contexte, plus détendu, elle parlerait comme dix. Sa voisine, une femme d'environ quatre-vingts ans, la silhouette mince, le visage un peu dur, dont je n'allais pas tarder à savoir qu'elle était veuve, et qu'elle roulait ses *r* en parlant avec l'accent rustique du comté.

À ma droite, à côté de la femme du Baptiste, remuait sur son siège un petit homme chauve et ventru, une cinquantaine d'années, les mains rêches et calleuses à force de transporter des briques et du ciment.

De parfaits inconnus. Nous n'avions, eux et moi, presque rien en commun. Je me faisais d'ailleurs de fausses idées à leur sujet – décidément plus fortes que moi, ces premières impressions. En particulier sur la vieille dame au visage dur, que je prenais pour une «grenouille de bénitier». Rien qu'à la voir, elle m'inspirait cette expression, que je devais à mes parents : «grenouille de bénitier».

J'ai eu tort pour la «grenouille». Je lui serai toujours reconnaissant, à elle comme aux autres, de m'avoir répondu avec bienveillance. S'ils avaient été sur la défensive, moins disposés à discuter ouvertement avec moi de leurs doutes et de leurs peines, de ces «mystères» de la foi qui laissent perplexes bon nombre de croyants, je ne serais pas resté. Je ne serais pas en train de rédiger ces pages. Au cours des trois mois passés avec eux, il m'arriva quelque chose d'exceptionnel. Et c'est uniquement après-coup, en y réfléchissant, que je réaliserais l'ampleur de ce bouleversement : le jeune homme timide qui vivait seul avec ses pensées avait basculé dans une toute nouvelle existence.

Le Baptiste, en chef, ouvrit la discussion. Il s'efforça un peu trop de nous parler avec naturel. Il expliqua l'origine de leur nom, «les baptistes»: comme toutes les dénominations protestantes, il remontait à plusieurs siècles.

«Nous réservons le baptême aux adultes. C'est un moment qui marque, c'est bien d'en être conscient. Pour nous, la foi se transmet par le partage d'expérience.»

Il aurait pu dire: on ne naît pas chrétien, on le devient.

«Chez nous, pas de hiérarchie, ajouta-t-il, et cette phrase le remplissait d'une fierté si vive que ses oreilles en rougissaient. Pas de prêtres, pas d'évêques. Chacun au même niveau, chacun participe.»

Nous l'écoutions sans mot dire. Les premières minutes de chaque nouvelle soirée connaîtraient un semblable temps d'adaptation. Puis des voix commencèrent à s'éclaircir, des langues à se délier, des paroles à s'échanger. Chacun parla de lui-même, de son rapport à Jésus.

À part moi, je leur adressais des phrases maladroites et impatientes.

Je pris enfin la parole; l'attention générale se porta sur moi. Je n'avais pas prononcé plus de cinq ou six mots que déjà les visages se crispaient. Je vis de l'étonnement sur celui du Baptiste, que je puisse commencer comme ça. Derrière mes airs de timide.

Et c'est vrai, je parlai plus franchement que la politesse ne me l'imposait. Après avoir reconnu quelques qualités à la foi – je repensais au Blond et à la Brune de mon collège, ainsi qu'aux femmes courageuses que j'avais côtoyées en Lituanie –, j'affirmai que leur Jésus n'était qu'une histoire. Une histoire belle, inspirante, certes, mais une histoire tout de même.

« La Judée, les tribus d'Israël, le Messie, tout cela appartient à un passé depuis longtemps révolu. »

Manifestement, personne ne comprenait. Chacun avait parlé de Jésus en termes personnels, amoureux.

Tout en face de moi, le Baptiste, très complice avec sa femme, guettant les temps morts, veillant à ce que les silences ne se prolongent et ne nous intimident pas, me demanda pour alimenter la conversation :

« Qu'est-ce qui te fait dire ça ? »

Le couple parlait comme d'une seule voix, on oubliait même si c'était lui ou elle qui vous avait adressé la parole.

« Matthieu, Marc, Luc et Jean. »

Ils constituent notre principale source d'information pour parler de Jésus. Or, il y a cent ans d'intervalle entre sa vie et la rédaction de leurs Évangiles. Qu'est-ce que c'est long, cent ans ! Les proches, les témoins finissent tous par mourir ; les souvenirs qui ne s'estompent pas se métamorphosent en fables. Un prêcheur du désert devient Dieu malgré lui.

Voilà, en substance, comment s'exprimait mon cheminement de pensée.

Les membres du groupe tournèrent leurs regards vers le Baptiste. Celui-ci, à moins que ce ne fût sa femme, me répondit doucement que j'étais dans l'erreur. L'Évangile selon Marc date des années 60-70, trente à quarante ans environ après la mort de Jésus.

«Et les lettres de Paul sont encore antérieures aux Évangiles. La lettre aux Corinthiens a été écrite vers l'an 50 et Paul y reprend une tradition orale rapportée par les premiers croyants. Les spécialistes – pas seulement des chrétiens, des athées aussi, datent cette tradition de deux à cinq ans après la crucifixion.»

Je ne me rendrais à ces précisions qu'après les avoir vérifiées par moi-même. Ce sont en effet les estimations érudites de ceux qui travaillent dans les «New Testament Studies».

Une bible bien usée avait fait son apparition sur les genoux du Baptiste. On venait de la lui apporter.

Il trouva la bonne page et nous lut à haute voix :

Il a été mis au tombeau, il est ressuscité le troisième jour, comme l'avaient annoncé les Écritures. Il est apparu à Pierre, puis aux Douze. Après cela, il a été vu par plus de cinq cents frères à la fois, dont la plupart vivent encore aujourd'hui – quelques-uns d'entre eux seulement sont morts. Ensuite, il est apparu à Jacques, puis à tous les apôtres.

Je restai un temps pensif avant de reprendre :
«Mais, de nos jours, jamais personne n'a vu un mort revenir à la vie, manger du poisson grillé ou proposer qu'on touche ses plaies. En revanche, cela doit faire des milliards de fois qu'un cadavre reste inanimé. De cette inertie qui est le propre de la mort.»

La femme du Baptiste, à moins que ce ne fût son mari, opposa à mon argument le nombre de témoins oculaires.

Sur le moment je n'ai pas réagi, mais les jours suivants je me suis imaginé recueillant de tels témoignages. Qu'aurais-je fait si les témoins m'avaient tous paru de bonne foi ? Et si tout concordait ?

La voix dans le cercle continuait :

« Et puis il ne s'agissait vraiment pas d'un homme comme les autres. »

Cachant mon incrédulité sous une question, je demandai :

« Vous voulez dire : un homme pas comme les autres parce que, pour vous, cet homme était divin ?

– Comme Zeus ou comme Apollon ? Non. Pour autant, il y avait clairement chez lui quelque chose d'extraordinaire, quelque chose qui forçait, en même temps que la stupéfaction, un amour confinant à l'adoration. Comme en ont témoigné ses proches, tous ceux que son enseignement a réunis : des pêcheurs, des femmes, des collecteurs d'impôts, des artisans. »

Mais je comprends que tu sois dubitatif…

Le Baptiste feuilleta sa bible. C'est lui qui parlait à présent :

« … Ça y est, je l'ai trouvé. Je voulais vous lire ce passage. C'est une autre tradition orale d'avant Paul, d'avant les Évangiles, au sujet de Jésus. Paul la cite dans sa lettre aux Philippiens :

Il possédait depuis toujours la condition divine,
Mais il n'a pas voulu demeurer de force l'égal de Dieu
Au contraire, il a de lui-même renoncé à tout ce qu'il avait.
Et il a pris la condition de serviteur.

Il est devenu homme parmi les hommes, il a été reconnu
comme homme ;
Il a choisi de vivre dans l'humilité et s'est montré
obéissant jusqu'à la mort, la mort sur une croix.
C'est pourquoi Dieu l'a élevé à la plus haute place et lui a
Donné le nom supérieur à tout autre nom [...]. »

D'abord j'avais frémi en l'écoutant, je me disais : c'est quand même beau, tout ça ! Puis : ah, mais c'est trop compliqué à comprendre. On n'y comprend rien !

Le Baptiste interrompit sa lecture.

« Est-ce que ça va ?

– Oui. Oui. Je t'écoutais...

– Il fait un peu chaud, on va ouvrir. »

Je respirai l'air frais qu'embaumait la mer.

★

Je suis passé récemment devant le temple où se déroulaient nos réunions. La façade a conservé le même aspect ; seul le nom du pasteur a changé. J'apportais chez mes amis une bonne bouteille de merlot, comme d'habitude.

« On se demandait si tu allais revenir un jour, dit le Baptiste quand j'évoquai nos débuts. Tu as manqué des soirées après la première. Tu n'as pas donné signe de vie.

– Ah, oui, on se demandait si tu allais jamais revenir », dit sa femme en écho.

Leurs deux enfants sont descendus en pyjama pour que je leur souhaite bonne nuit. Je les ai serrés dans mes bras. Ils m'ont toujours connu croyant.

★

«J'essaie de comprendre. Nous sommes bien d'accord, pour vous, Jésus c'est Dieu?

– Nous dirions plutôt le Fils de Dieu, mais n'allons pas couper les cheveux en quatre.»

Mes connaissances théologiques se restreignaient à celles, maigres, rabâchées lors de mes cours d'éducation religieuse au collège.

«La fameuse Trinité, leur dis-je. *Father, Son*, and *the Holy Ghost.*

– *Holy Spirit*», rectifia la dame à ma gauche, celle qui se mordait les lèvres.

Le Baptiste, apaisant:

«Ça ne fait rien.»

Je leur demandai alors comment Dieu pouvait être à la fois un et trois? Une question piège.

«Je veux simplement comprendre. Je ne veux pas vous mettre en porte-à-faux.»

Enfin, peut-être que si, un petit peu.

Quel sentiment agréable que de se sentir supérieur à un autre! Cela commence très jeune, un incident récent me l'a rappelé: je voyageais en Eurostar et surpris une conversation entre deux enfants: un garçon d'une dizaine d'années posait des questions à sa sœur

117

cadette. « Comment s'écrit rose ? » lui demandait-il. À quoi la fillette répondit : « R, O, Z, E. – Non ! » dit le frère avec une satisfaction évidente. Il reprit : « Et comment s'écrit blanc ? – B, L, A, N. – Non ! » Le plaisir de tonner « non ». Je pensai, en rougissant : j'étais comme ça, au début, avec les baptistes. Je prenais plaisir à leur répondre non, non, non.

L'ouvrier à ma droite remuait de plus en plus sur son siège :

« Dites-le-nous, vous qui êtes un cerveau ! »

Et le Baptiste d'intervenir :

« À vrai dire, je n'en sais rien. »

En moi-même, je remerciai cette candeur, qui le rendait encore plus sympathique. C'est, je crois, à partir de ce moment-là que cet homme et sa femme me touchèrent profondément.

Elle vint au secours de son mari et parla avec élan. Il ne faut pas penser Dieu comme un être surnaturel parmi d'autres êtres. Dieu, c'est le fondement de toute existence, la réponse à la question : « Pourquoi quelque chose plutôt que rien ? »

« Nous nommons "le Fils" la connaissance infinie que possède Dieu de Lui-même ; nous nommons "le Saint Esprit" l'amour éternel qu'Il a pour Lui-même. Ainsi que pour toute existence. »

Cela avait pour moi quelque chose d'une grammaire. Toute cette série de métaphores, pour penser l'absolu. Peut-être pourrait-on parler ainsi d'une grammaire « juive », « musulmane », « hindoue »...

Je m'y repris à plusieurs fois pour formuler l'analogie.

Le Baptiste souriait à ses genoux ; puis, il se redressa sur sa chaise, opina du chef et dit, comme pour conclure la soirée :

« Le dieu en qui nous croyons est universel. C'est le dieu des juifs, des musulmans, des hindous. Et même des athées qui doutent de Son existence. »

★

Cette nuit-là, je fermai les yeux et récitai les horaires des marées, telles qu'elles paraissaient dans le journal local : 03 h 22, 5.50 m ; 09 h 38, 0.7 m ; 15 h 38, 5.60 m ; 22 h 00, 0.50 m – comme on compte les moutons pour s'endormir. Je tournai et me retournai dans mon lit ; les haricots du repas – à moins que ce ne soit la discussion – me restaient sur le ventre.

★

En apparence, rien n'avait changé ; les semaines qui suivirent, je donnais mes cours particuliers, écoutais la radio, lisais beaucoup. Pourtant, sur telle ou telle couverture s'invitaient désormais les noms d'auteurs croyants et leurs initiales célèbres : G. K. Chesterton, C. S. Lewis.

Je me confrontais à leurs écrits.

Et les voisins de remarquer que le carré jaune de ma fenêtre brillait de soir comme de nuit.

119

S'adresser à Dieu

Un mardi, j'ai retrouvé la solennité et les murs humides du temple. Quand le Baptiste me vit entrer, il me fit signe de la main.

« Content de te revoir ! »

Depuis combien de temps guettait-il mon arrivée ?

« Tu n'as rien de prévu après ? Bien. J'aurai besoin de bras pour débarrasser si cela ne t'embête pas. Ah, merci beaucoup. »

Il m'enveloppait d'un regard doux et reconnaissant.

Ses oreilles rougissaient. Il sembla hésiter sur sa prochaine phrase :

« Et puis, j'aimerais te toucher deux mots, en tête à tête. »

Cette fois-ci, l'absent ce n'était pas moi mais l'ouvrier. L'assistance réduite me dévisageait. J'avais l'impression qu'ils attendaient tous avec une certaine appréhension que je prenne la parole.

J'ai alors raconté l'histoire de ce magicien canadien, un dénommé James Randi, qui était capable de se libérer en quelques secondes d'une paire de menottes. Ou, jeune homme, d'une camisole de force, suspendu à l'envers au-dessus des chutes du Niagara. Ce magicien était aussi ce qu'on appelle un « démystificateur » : il offrait un million de dollars à quiconque pouvait prouver que le surnaturel existe vraiment. Par exemple, aucune expérience sérieuse n'avait pu démontrer l'efficacité de la prière. Pire encore, ce magicien avait démasqué

quantité de télévangélistes, ceux-là mêmes qui prétendaient posséder toutes sortes de prières guérissantes.
Naturellement, moyennant une somme d'argent. C'était
le cas d'un prédicateur américain bien gras et perruqué,
très suivi par les téléspectateurs, qui priait Dieu haut et
fort pour que des malades, présents à ses côtés sur la
scène, abandonnent leurs béquilles, leur fauteuil rou-
lant, leur insuline. Des hommes et des femmes derrière
leur écran joignaient leurs prières à la sienne, et cela
depuis les Caraïbes et l'Indonésie. Des supplications
par centaines de milliers. Et cela fonctionnait! Dieu les
entendait. En tout cas, c'est ce qu'ils voyaient, car le
prédicateur touchait une jambe infirme, des genoux en
grève, et voilà qu'ils se réanimaient. Alléluia! De même,
il soignait les cataractes, les maux de tête, les ankyloses.
Le couac, c'est lorsqu'il confondait par mégarde un
authentique malade avec l'un de ses complices, un véritable sourd qui, aux mots «Dieu vous a guéri», répon-
dait par «ça va, et vous?» Échec qu'il imputait aussitôt
aux fidèles qui auraient raté leurs prières, ou à l'impré-
paration, ou à l'insincérité du pauvre monsieur dur de
la feuille. Malins, ces télévangélistes.

À mesure que je parlais, je sentais la tension monter
autour de moi. Plusieurs me répondirent qu'il ne fallait pas faire porter le chapeau à Dieu, que celui-ci ne
jouerait jamais de «numéros» sur demande. La veuve,
elle, m'assura que ses prières lui apportaient un grand
réconfort. Et, avec l'air d'une grand-mère qui gronde
gentiment son diablotin de petit-fils:

«Aussi vrai que je vous vois. Et ce n'est pas ce que vous pensez, jeune homme. Ce n'est pas qu'ici.»

Elle se tapotait le front avec l'index.

Un murmure approbateur parcourut le groupe.

Elle avait prononcé cette phrase sans le moindre accent d'agacement, plutôt amusée de mon attitude, tant que celle-ci avivait leurs réunions.

«Vous voulez dire autre chose. Je le sais bien, ou je ne m'appelle plus Hilda. Allez, dites-le. On vous écoute.»

Sa voix contenait de l'indulgence.

Une silhouette d'homme à la démarche claudicante nous avait rejoints pendant l'histoire du magicien.

«Excusez le retard. J'avais un rendez-vous, bredouilla l'ouvrier.

– Daniel a ouvert le bal ce soir, répondit le Baptiste. On ne l'arrête plus.

– J'entends ça.»

Je ne pus m'empêcher de remarquer qu'à la place de son pied droit se trouvait une prothèse.

«Ne faites pas attention à moi», me dit-il.

Alors, je leur ai rapporté une autre histoire, apprise durant mon enfance. Il était une fois un voyageur débrouillard qui, faisant halte dans un village, demanda aux habitants de quoi se nourrir. Il était avenant quand on lui ouvrait la porte, et s'étonnait qu'à chaque fois on finisse par la lui claquer au nez. Mais l'avarice des villageois ne le découragea point, il sortit de son baluchon une pierre toute lisse, et la mit au fond d'une marmite pleine d'eau du ruisseau. Bientôt, il dégusterait une bonne soupe nourrissante. En effet, il ne fallut que quelques minutes pour que le ruban de fumée au-dessus de la marmite fasse surgir de leurs foyers nombre de curieux. «Que préparez-vous?» lui demandait-on. De la soupe aux cailloux, disait-il. De la soupe aux cailloux? Oui, oui. Et sur ce, il y trempait un index puis le portait à ses lèvres. Délicieux! Pourtant, l'eau à peine trouble ne ressemblait à rien sinon, disons-le, à un bouillon bien maigre. Délicieux, insistait-il, et il parcourait la foule des yeux. Dommage de devoir lésiner sur l'assaisonnement. L'entendant dire cela, quelqu'un lui apporta une pincée de sel. Le voyageur le remercia chaleureusement, tout en regrettant les carottes – les deux ou trois, pas plus – que réclamait la recette. Histoire d'ajouter un peu de couleur, de fibre, de texture, voyez-vous. C'est bien ça une soupe au caillou digne de ce nom! Quelqu'un d'autre disparut pour revenir avec quelques légumes; peu à peu la soupe commença à sentir quelque chose. Des narines la humèrent. Elle sent bon, n'est-ce pas? reprit le voyageur. Et elle serait encore meilleure avec un petit rien d'herbes. C'est alors qu'une dame feignit de se rappeler celles qui poussaient dans son potager. La soupe gargouillait avec contentement. Chacun en mangea à sa faim.

Un silence.

«Où voulez-vous en venir?» me demanda finalement l'ouvrier, avec une pointe de défi.

Inoffensive, inutile en soi, capable néanmoins de mobiliser les bonnes consciences et les beaux gestes : la prière me faisait penser à cette pierre.

Tous froncèrent les sourcils.

«Je ne t'apprendrai pas que la prière est importante pour nous, dit le Baptiste. Mais tu as raison sur un point : nos mots ne valent rien s'ils ne s'accompagnent pas d'actions.»

Sa femme prit à son tour la parole :

«Je suis assistante sociale. Tous les jours, je vois ce que ça peut faire d'accorder de l'attention à l'autre. Quelqu'un de malade, de démuni ou d'isolé. Au lever du jour, je prie. C'est un moment à part, un répit, cela ne dure que quelques minutes au plus, mais après j'ai comme le sentiment d'être prête, d'être accompagnée. Ce ne serait pas pareil si je ne priais pas avant...»

Et elle ajouta :

«... le plus difficile, c'est que nous ne savons pas ce qu'il convient de demander dans nos prières.»

J'ignorais qu'il s'agissait d'une citation de Paul (Romains, 8 : 26).

Maintenant ils discutaient de plus belle, chacun participait. Prier, pour l'un, c'était promettre de vivre autrement. Pour un autre, exprimer sa gratitude ; pour un troisième, réfléchir sur ce qu'on attend du monde. Je leur prêtais une grande attention ; j'ai toujours éprouvé une fascination à entendre les gens se livrer.

Quelle serait ma prière si j'avais un dieu pour m'écouter ?

L'heure me parut courte comme une minute.

Au terme de la soirée, le Baptiste prit un visage studieux, leva les yeux, comme pour se rappeler quelque chose, et d'une voix solennelle :

« L'âme en paraphrase ; Tonnerre inversé ; Quelque chose de compris… »

Tentatives de définition de la prière par George Herbert. Ce nom ne me disait rien. Un pasteur anglican dont les poèmes sont contemporains des pièces de Shakespeare.

Plus tard, tandis que nous empilions les chaises, je lui ai demandé d'où sortait ce texte de Herbert. D'un sermon récent. Leur pasteur était un homme cultivé, il connaissait beaucoup de choses.

Le Baptiste regarda autour de lui le décor de ses dimanches matin. Nous étions seuls, lui et moi, au fond de la salle.

« Ça va ? Tu ne t'ennuies pas trop ?

— Pas du tout.

— C'est bien. Je voudrais vraiment que tu te sentes à l'aise ici. »

Comment lui dire que je ne me sentais à l'aise nulle part ?

« Tu te débrouilles bien en tout cas.

— Toi aussi.

— Je prends mes marques. C'est la première fois que je dirige un groupe, c'est assez intimidant. Moi-même je ne me sens pas bon en prière ! J'apprends. Tu vois, tout cela est assez nouveau pour moi aussi. »

Plongeon

De plus en plus je prenais sur le temps de mes lectures – d'abord la valeur d'une petite heure, puis deux, puis plus encore – pour me promener au hasard dans la ville. Or il tombait ces matins-là un crachin côtier qui embuait mes lunettes, me glissait dans un état second ; je laissais mes pas m'entraîner sur la plage.

Les mouettes tournoyaient ; leurs énormes ailes dessinaient de grands cercles brisés. Je montai sur ce qui restait de l'ancienne jetée de la ville. La Veuve Hilda l'avait bien connue étant jeune, comme elle nous l'avait raconté un soir au temple. Une jeunesse des plus mouvementées. Masques à gaz. Dix ans de tickets de rationnement. Des tempêtes qui finirent par emporter la plupart des mille cent cinquante mètres de la jetée. Et, avec eux, le souvenir du « Professeur » Powsey.

Powsey portait ce titre bien que n'étant en réalité « professeur de rien », selon la formule de la Veuve Hilda. C'était un de ces plongeurs saltimbanques qui tournaient l'été dans les stations balnéaires, celles-là mêmes qui donnaient du travail aux glaciers et aux loueurs de transats à rayures rouges et blanches, les faisaient fondre en sueur et leur remplissaient les poches.

En 1938, les adolescentes de Herne Bay, parmi lesquelles la future veuve, se destinaient toutes au mariage avec le beau plongeur. Et chacune de s'imaginer qu'il l'emmènerait loin d'ici, et lui pêcherait quantité de perles.

Mais ce qui avait particulièrement accroché mon attention pendant ce récit, c'était le plongeon du «professeur» tel qu'elle nous l'avait décrit. Et je demeurais là debout, à hauteur de cette jetée fantôme, le regard rivé sur l'eau grise, je sentais flageoler mes jambes. Powsey marchait dans les airs, devant moi, d'un pas lent et assuré. On pouvait lire dans les muscles de son grand dos bronzé toutes ses années de métier. Et voilà qu'il s'arrêtait et arrondissait ce grand dos, penchait sa tête et ses longs bras en avant comme s'il se courbait pour l'éternité. Soudain il s'élance en ce jour d'été 1938, et tous sont happés par la silhouette qui disparaît dans une détonation d'écume. La foule retient son souffle. Ma poitrine se serre.

J'attends, moi aussi, que l'homme refasse surface.

Choisir son camp

À 20 heures, les derniers fidèles quittèrent la salle, nous laissant seuls, le Baptiste et moi. Nous avions pris l'habitude de nos conversations en tête à tête. Et pendant que nous rangions, il me racontait par bribes son parcours de converti: parents athées, père ingénieur longtemps basé à l'étranger, naissance et premières années au Kenya, début de scolarité en Jamaïque. Retour en Angleterre. L'incompréhension, les moqueries des nouveaux camarades face au petit garçon noirci de soleil. Des années malheureuses à perdre l'accent des pays lointains. Plus tard les études, suivies d'un boulot alimentaire dans les assurances. Des idées de plus en plus sombres. Appelle-t-on cela une vie ?

De tout cela il parlait comme s'il se fût agi d'un autre homme.

Puis le hasard, si on peut le nommer ainsi, lui avait fait rencontrer une autre touriste lors d'un week-end en Espagne. L'aînée de six filles d'un fermier irlandais. Le coup de foudre ! Il tomba amoureux de sa gaucherie, de son sourire, de sa foi. Voilà un an qu'ils étaient mariés.

Nous ne nous connaissions que depuis quelque temps, mais il semblait n'avoir aucun scrupule à me faire des confidences. Les doutes que j'émettais dans les discussions ressemblaient à ceux qu'il avait émis avec sa femme pendant les premiers temps de leur couple. Leur bible en gardait trace. Des passages «difficiles» tatoués de ses notes, qu'il m'a montrés ouvertement un soir.

La Bible, ils la connaissaient tous comme leur poche, ou comme leur sac à main.

On lui fait dire tout et son contraire, s'indignaient-ils. Il ne fallait pas la lire comme on lit un journal. On ne la lit pas pour s'informer, mais pour sa vision du monde. Des images, des récits, de la poésie. Et le fidèle, en la lisant, s'inscrit dans ses lignes.

Je la lisais en dehors du temple et ne savais plus trop quoi en penser, d'autant que nombre de ses pages, il fallait l'admettre, n'étaient pas sans m'émouvoir.

Mais la confiance en ces émotions me manquait.

Parallèlement, le souci d'équilibre me poussait à lire d'autres textes, ceux qui portaient la contradiction, n'allaient pas dans le sens des croyants.

L'explosion de la littérature «*new atheist*» n'aurait lieu que quelques années plus tard dans les pays anglo-saxons. L'essai best-seller de Richard Dawkins, *Pour en finir avec Dieu*, ne serait pas publié avant quatre ans; celui de Christopher Hitchens, *Dieu n'est pas grand. Comment la religion empoisonne tout*, paraîtrait l'année d'après. (Un ami athée m'a offert le premier à sa parution. Je l'ai lu et j'ai eu peine à comprendre pourquoi on en a fait tout un foin, la prose est plate et sans nuance.) Autant dire que j'ai connu plutôt la littérature «ancien athée», plus riche et plus profonde, des œuvres telles qu'on les écrivait dans les années vingt: *Pourquoi je ne suis pas chrétien* de Bertrand Russell, maître à penser de toute une génération.

Curieusement, ces critiques me percutaient moins que celles provenant de chrétiens eux-mêmes: le poète W. H. Auden («le chrétien c'est celui qui sait qu'il n'en est pas un, ni en matière de foi, ni d'éthique»), le philosophe Søren Kierkegaard, le pasteur Dietrich Bonhoeffer…

Au temple, à notre droite se trouvait dans un autre groupe un athée d'une quarantaine d'années. Comme ça, vous auriez pu le trouver discret, presque effacé, mais il avait une grosse voix et ses opinions résonnaient souvent à travers la pièce. Peu à peu, je me rendis compte qu'elles étaient en décalage avec les miennes, et cela m'embêtait. Un soir, il affirma, de la manière très assurée qu'on lui connaissait, qu'au fond, «nous les humains, nous ne sommes que des animaux». Ou que des gènes. «Des grands singes presque à cent pour cent.» Je ne partageais pas du tout sa façon de voir les choses. J'aurais voulu, un court instant, lui dire : bien évidemment, les gènes ne diffèrent pas beaucoup entre les espèces, nous habitons tous la même Terre, nous vivons ensemble. C'est par le comportement, par la culture, que nous nous distinguons les uns des autres. Et comment ! Mais cela aurait été peine perdue. C'était dans son caractère ; l'homme puisait dans son scepticisme une certaine fierté, ce qui n'était pas mon cas. Lui non plus ne m'aurait pas compris. Il n'aimait pas les animaux.

En ce temps-là, comme beaucoup de solitaires, j'avais un chat noir. Il émanait de lui de l'intelligence et de la dignité, il sortait de très bon matin par le jardin pour rentrer une ou deux heures plus tard, secouant la rosée de sa noble personne et s'étirant gracieusement sur le tapis. Parfois, lorsque je m'allongeais sur le canapé, il venait sur mon ventre, destituant tel livre, pour m'apporter sa présence. Entre lui et un livre, le choix était vite fait. D'ailleurs, son regard vert, un peu hautain, me demandait quel intérêt pouvaient avoir ces jouets en papier qui ne bougeaient guère.

La Bible, elle-même, regorgeait d'innombrables animaux, on y rencontrait ânes, chameaux, serpents, lions, brebis... Une page entière ne suffirait à en dresser la liste.

D'ailleurs, ils y faisaient beaucoup plus que de la simple figuration. On louait l'intelligence propre à chacun, jusqu'à l'humble fourmi :

> Va vers la fourmi, paresseux ; Considère ses voies, et deviens sage. Elle n'a ni chef, ni inspecteur, ni maître ; elle prépare en été sa nourriture, elle amasse pendant la moisson de quoi manger » (Proverbes 6 : 6-8).

Et aux oiseaux :

> Même la cigogne connaît dans les cieux sa saison ; et la tourterelle, l'hirondelle et la grue prennent garde au temps où elles doivent venir (Jérémie 8 : 7).

Je songeais aux documentaires qui passaient le soir à la BBC, montrant la danse des abeilles, expliquant l'écholocation chez les chauves-souris.

Si la nature prodigue de telles richesses, d'une telle complexité, que dire alors de l'humain, doté de conscience et de langage ?

Réparer le monde

C'est ainsi qu'au fil des rencontres, à ma grande surprise, je me sentis de plus en plus proche des croyants, à cette différence près que je ne croyais toujours pas en Dieu.

Comment croire face à l'horreur de l'injustice, quand souffrent et meurent tous les jours tant d'innocents? Dans un accident de la route. D'un cancer inopérable. De chagrin. Comment avoir foi en une Création bâclée? C'était toujours la même interrogation.

Un soir où nous en discutions vivement, le Baptiste employa l'expression «*Tikkoun Olam*», un terme hébreu qui veut dire «la réparation du monde». Et je compris qu'il provenait d'un sermon du pasteur.

«Dans le judaïsme, l'expression désigne le combat pour un monde meilleur, dit-il, avec l'idée sous-jacente que celui-ci a été brisé. D'où tous les maux, tous les morceaux épars de la vie.»

Une ombre passa sur son visage.

Il lut ensuite des passages de la Genèse. Puis ajouta:

«Même les mots ne correspondent pas aux choses qu'ils nomment. Pas exactement, il y a toujours un écart.»

Un malentendu. Une promesse non tenue. Une erreur ou une confusion.

Seul le langage divin pouvait s'accomplir directement: «Que la lumière soit! Et la lumière fut.»

«Nous savons toujours plus que ce que nous pouvons dire. Nous détenons tous un savoir qui dépasse la limite du dicible.»

D'où la frustration, et la nécessité de dialogue.

D'autres prirent le relais, ils parlèrent de leurs propres expériences. Un divorce. La maladie. Les sanglots d'un mauvais choix. La vie n'avait eu de cesse de les blesser et de les décevoir. Cependant, ils croyaient toujours – même dans le doute et l'incertitude. Et effectivement, la parole leur manquait pour justifier leur foi.

Flotter

Sentir la présence de Dieu : on a tenté de m'en parler tout de même.

On m'invita à un service du dimanche, et, comme je connaissais bien le groupe désormais, il me fut facile d'accepter.

Cela me fit drôle de voir le Baptiste sur scène, derrière sa batterie. Nous avons chanté de tous nos poumons, le pasteur a donné un sermon dont le sujet m'échappe aujourd'hui, nous avons prié. Ou, plutôt, ils ont prié et moi j'ai observé toutes ces têtes baissées à l'unisson.

Et puis, un bruit intempestif m'a arraché à la contemplation de ces têtes. Une femme s'était levée brusquement, même de dos je la reconnus tout de suite, c'était celle qui se mordait les lèvres. Sa voix s'embarrassa d'un tremblotement quand elle décrivit ce qu'elle venait de voir en son for intérieur : un ballon rouge ! Il avait gonflé à vue d'œil. L'inspiration divine, dit-elle, pour lui montrer Son amour.

Avait-elle entendu quelque chose dans les paroles des hymnes ? Ou dans le sermon du pasteur ? Avait-il provoqué par le choix d'une phrase, d'une métaphore, une telle image ? Elle avait paru si heureuse, en tout cas, le secret de son expérience lui appartenait entièrement.

Lors de la sainte cène : pas de vin ni d'hostie comme on aurait pu s'y attendre, mais du jus de raisin et un morceau de pain.

C'est Joan qui l'a fait, m'a-t-on dit, le gâteau, une sorte de brownie, qui accompagnait le thé de clôture. Le désappointement dans la voix indiquait que les paroissiens eussent préféré que ce soit Brenda ou Grace ou même Hilda.

J'ai veillé si tard ce soir-là dans ma chambre, à parcourir Luc 8 et Jean 9, que le mobilier s'était évanoui pour laisser place à un sommeil profond. J'étais assis en classe, la maîtresse nous parlait des Romains. Cette scène avait réellement eu lieu en dernière année d'école primaire. Les toges dessinées qu'elle nous montrait faisaient rire les garçons du dernier rang. Étrange, sa voix, quand elle prononçait des noms latins. *Flavius. Lucanus. Tiberius.* Quels corps, quels destins avaient pu porter de tels noms ? La voix pénétrante de la maîtresse nous renseignait.

Je me suis réveillé en sursaut. Il a fallu allumer la lampe dans ce petit matin brumeux de décembre – dehors, le frimas givrait le quatre-quatre du voisin. Du papier ! Un stylo ! Vite. Le rêve avait fait fulgurer quelque chose en moi : un souvenir dont j'avais long-temps perdu conscience.

Oui, cela me revenait à présent : la maîtresse nous avait demandé d'écrire une rédaction sur les Romains.

Aussitôt écrite, aussitôt oubliée. Et pourtant il faut croire qu'elle avait fait son chemin dans ma mémoire. C'est pourquoi, avant qu'elle ne s'en retourne au néant, je la confiai à une feuille de papier blanc, du mieux que je m'en souvenais.

C'était l'histoire d'un jeune Romain qui découvre un bassin au grand air. Un bassin rempli d'une eau bleu pervenche et moirée, dont la lumière du jour – qu'aucun nuage ne filtrait – veloutait la surface. Cette lumière ne brûlait point sa peau pourtant si délicate, comme l'était la mienne. Elle caressait les joues, les cotes, les jambes. Un tressaillement de joie avait parcouru tout son corps fluet à la seule vue de l'eau. En s'avançant, son ombre avait projeté sur celle-ci une belle couleur d'encre. Il y avait d'abord trempé le pouce du pied droit pour ensuite succomber tout entier à sa chaleur. Une chaleur, comme l'imaginait l'écolier, semblable aux mots qu'on imprime. Le garçon s'était baigné, avait nagé à en perdre haleine – son créateur ayant cherché pour ce faire des petits mots légers, aériens, des mots qui flottent.

Ces mots avaient été, pour eux deux, l'expérience même de l'apesanteur.

Les réécrire, à plus de dix années de distance, me fit plus d'effet encore.

Bénédiction

Un second service au temple remua autre chose en moi. Décision de dernière minute d'y assister. Nous allions bientôt entrer dans l'hiver et les premières lumières de Noël égayaient les rues.

Ce sermon-là m'avait beaucoup marqué.

« L'Église, c'est vous. Ce sont les femmes qui prêchent dans les temples... »

Déjà à l'époque, vingt pour cent des pasteurs étaient des femmes.

« ... ce sont celles et ceux qui visitent les malades et les personnes âgées... »

Le pasteur s'était arrêté pour remercier plusieurs paroissiens.

« ... ce sont les anonymes, les exclus, les oubliés, les personnes de toutes origines, celles et ceux qui se sentent différents. »

Il avait cité Paul, sa lettre aux Galates :

Il n'y a plus ni Juif ni Grec, il n'y a plus ni esclave ni libre, il n'y a plus ni homme ni femme ; car tous vous êtes un en Jésus-Christ.

Une sensation d'apaisement m'avait alors envahi.

Ce même matin, pendant le service, j'assistai pour la première fois à une imposition des mains : une femme maigre et très âgée avec, de part et d'autre, une fidèle debout qui posait ses paumes sur ses cheveux fins et blancs. Le gris de sa peau était celui de quelqu'un qui ne sort pas beaucoup. Elle resta immobile, tout comme les paumes sur sa tête, elle fermait les yeux et son visage long et sec prit une expression de sérénité. La chaleur des mains y était sûrement pour quelque chose ; il est reconnu que le contact doux d'une autre peau communique l'apaisement. Respirer devient plus facile. Espérer devient plus facile. C'était émouvant de me retrouver devant le tableau formé par ces trois femmes.

Si, plus tard, j'avais continué de fréquenter ces baptistes, j'aurais assisté avec le temps à d'autres impositions des mains. Je me serais habitué à ces mains qui touchent, à ces émotions. À un moment ou un autre, on m'aurait peut-être proposé de l'essayer sur moi-même. Je ne sais pas si j'en aurais ressenti le besoin.

J'ai tout de même vécu une situation semblable, quelques années plus tard, lors d'une conférence d'écrivains au Nouveau-Mexique. Parmi les autres invités, un pionnier du Nouveau Journalisme, une romancière lauréate du prix Pulitzer, et Margaret Atwood.

Ses cheveux. Tous les yeux s'arrêtaient sur ses cheveux argentés, bien sûr : ils jaillissaient de sa tête en un buisson touffu.

Elle était à l'apogée de sa longue et illustre carrière.

Moi, je ne faisais que débuter en tant qu'écrivain, peu sûr encore de la réalité de ma vocation, loin de mes futurs livres – essais, fiction, poèmes.

On m'avait invité à raconter mon parcours devant les autres auteurs. J'avais également répondu à quelques questions de la salle.

Elle vint par la suite à ma rencontre, toute seule. Sa voix traînante n'était pas sans charme ni dépourvue d'autorité, et elle me demanda de cette voix-là, celle qu'elle aurait utilisé au téléphone, si elle pouvait me prendre la main. Il ne s'écoula guère de temps avant qu'elle approche les siennes, des mains de septuagénaire, mouchetées de taches brunes, et je compris à ce geste que je devais allonger mon bras droit et lui prêter la main ouverte, celle avec laquelle j'écrivais.

Ses ongles, bien limés et sans vernis, semblaient me dire : «Elle est très sérieuse. Faites-lui confiance.» Ce que je fis.

Elle me regarda avec sa tête d'épervier, tenant ma main droite – à croire qu'elle la soupesait –, elle la palpa, la caressa, puis la retourna lentement pour étudier les traits qui sillonnent la paume.

Elle lisait les lignes, de cœur, de tête, de vie en souriant.

Tandis qu'elle faisait cela, toute la scène de l'imposition des mains me revint, les paumes des fidèles et les cheveux de la très vieille dame, beaucoup plus blancs et fins que ceux de l'écrivaine canadienne, la chaleur et l'apaisement du toucher, une bénédiction.

Je... crois

Un mardi soir, quelques jours avant les fêtes, nous nous sommes retrouvés au temple, les paroissiens et moi, pour notre dernière réunion.

Nous n'étions plus au complet, l'assistance ayant diminué depuis quelques semaines : les athées des autres groupes envolés, les grippés excusés. Du moins notre groupe était-il resté intact. Nous avons parlé en cercle comme à notre habitude, une conversation plus légère, ponctuée de quelques rires, étouffée par mes pensées. J'avais la tête ailleurs. Puis, tout à coup, me revint une phrase des Évangiles : «Et le Verbe s'est fait chair et il a habité parmi nous.»

Soudain, un flot d'images s'est imposé à moi, tellement nettes et précises et que pourtant je n'avais jamais vécues. Et j'ai compris qu'il s'agissait de réminiscences de scènes que m'avait racontées le Baptiste. Une fois il m'avait montré la trappe au milieu de l'estrade et le bassin vide, qui se trouvait en dessous, à un mètre de profondeur. C'était là qu'il avait été baptisé par immersion, un dimanche : on l'avait plongé, tout habillé, dans l'eau, et on avait dit : «Je vous baptise au nom du Père, et du Fils et du Saint Esprit, pour le pardon de vos péchés, et pour le don du Saint Esprit.» Lui, remontant à la surface, haletant, trempé comme une soupe, et son visage ruisselant de l'eau du bassin et de larmes.

Je me détachai de la conversation ; et bientôt, je ne l'entendis plus qu'en bruit de fond, un chuchotis de vagues.

Une conviction faisait doucement jour en moi : je croyais. Et cette foi ne venait pas de savantes données ; elle était un don.

La paralysie du doute que je ressentais depuis des années me quitta aussitôt. J'aperçus les grandes lignes d'un moi futur : je coucherais sur le papier des sensations et des perceptions par le truchement des mots, autrement dit j'écrirais, même si j'étais encore loin de savoir comment et sur quoi ; j'étudierais à distance (les sciences humaines finalement, y compris la sociologie de la religion) ; je voyagerais dans le monde.

Les paroissiens se sont levés dans le groupe pour une ultime prière.

« Nous n'en avons que pour une minute, m'a dit le Baptiste.

– Attendez... »

Je n'ai pas plus tôt prononcé ce mot que leurs regards se sont posés sur moi.

Mon cœur cognait fort. Ma gorge s'est nouée. La joie et la stupéfaction se disputaient mon esprit.

Je me suis entendu leur dire, d'une voix sourde : « Je... crois. »

Je me suis levé et j'ai éprouvé une drôle de sensation, comme quand je sors de chez l'opticien après avoir changé mes lunettes, et que pendant quelques minutes le trottoir me semble beaucoup plus haut et mes jambes plus courtes.

Le Baptiste et sa femme rayonnaient. Les autres semblaient pris au dépourvu. Une fois revenus de leur surprise, ils m'ont tous embrassé et nous avons prié ensemble.

*

J'imagine ton étonnement à la lecture de ces lignes, mais, à bien y réfléchir, cette lettre, déjà l'œuvre de plusieurs mois, ne saurait te dire ma foi autrement. À moins que si, peut-être...

III

CREDO

«En lui était la vie, et la vie était la lumière des hommes.»

Jean 1 : 4

C'est bien un garçon. Yosef de Nazareth le devine par les pleurs, qui ont surgi brusquement jusqu'à lui dans la cour. Il les écoute répondre au sel avec lequel on frotte le petit corps nu et frétillant, à l'huile d'olive avec laquelle on l'enduit. Bientôt, il le sait, la lampe sur la porte flottera vers lui dans la pénombre bleue; quelqu'un, l'une des femmes, l'appellera d'une voix qui se voudra calme. Mais pour le moment, il reste dehors et attend – cela fait des mois qu'il attend, qu'est-ce que ça peut lui faire de patienter quelques instants de plus? Au-dessus de sa tête à moitié chauve, la nuit tombe. Le ciel est brillant d'étoiles. Il lève les yeux et sent passer sur son visage maigre le vent venu des crêtes d'Hébron, lavé par la pluie des montagnes, embaumant les fleurs sauvages. Il respire à pleins poumons.

Plusieurs jours qu'ils sont à Bethléem, Maryam et lui, dans sa maison ancestrale, une modeste demeure faite d'adobe et de pierre, comme toutes les autres, ni grande ni petite. Jours d'attente, jours de paresse imposée depuis l'heure tardive où ils sont arrivés devant la cour, lui ployant sous le poids de leurs affaires, elle portant celui de l'enfant. Il avait crié, mais pas trop fort: « C'est moi. Ouvrez! » Au bruit de l'homme qui se lève, qui tâtonne dans le noir, ils s'étaient sentis aussitôt plus légers.

«Béni soit celui qui vient, avait dit un vieux parent de Yosef, d'une voix endormie.

– Béni soit celui qui est déjà là, lui avait-t-il répondu.

Après des salutations interminables, des cris et des embrassades, le couple avait dû renoncer, faute de place, à la pièce exiguë normalement destinée aux invités. La coutume d'hospitalité constitue pourtant une obligation sacrée par ici. Où étaient-ils allés dormir ? Dans la pièce du bas, couverte de paille propre, là où chaque nuit la famille rentre la chèvre, l'âne et la brebis pour réchauffer la maisonnée. C'est ici, allongée dans le cercle doré que projette une lampe à huile, que vient d'accoucher, transpirante, grimaçante, exsangue, Maryam.

Dehors, le silence est revenu. Mais, tout perdu qu'est Yosef dans ses pensées, il n'entend pas les pas précipités dans la cour, il n'entend pas dans son dos la porteuse de lumière lui chuchoter : «Ça y est, ils dorment.» Une fois encore, puis il se retourne.

«Tout s'est bien passé. Le petit a bon poids.»

Frileusement elle remonte la laine sur ses épaules.

Il la suit jusqu'au seuil.

Yosef agit en homme pieux et observe toutes les convenances. Pendant quarante jours il ne dort plus avec sa femme ; elle dort seule avec son bébé, sur la paille que l'on change tous les soirs. Le huitième jour, le petit est circoncis, on l'appelle Yéshoua, un prénom courant en ces temps d'occupation romaine, et qui veut dire «Dieu sauve». Enfin, ils partent tous les trois dans la Vieille Ville, Jérusalem, accomplir leurs rites au Temple.

★

C'est à Nazareth, à quatre ou cinq jours d'âne au nord de Jérusalem, que la famille vit désormais. C'est dans ce petit village, un paysage de vaux et de collines, que Yéshoua fait ses premiers pas en titubant. C'est ici qu'il prononce pour la première fois «abba» («père» ou «papa») dans l'araméen qu'il entend parler depuis sa naissance. Or, il ne voit Yosef que par intermittence, celui-ci étant occupé à gagner les deniers que rapportent sa scie et son ciseau dans les bourgades du Nord. S'il grandit, il reste encore dans les jupes de sa mère, à l'observer carder la laine, frotter le linge, pétrir la pâte. Tandis qu'elle travaille, il l'écoute remplir la cour et la maison de chansons, et la voix chaleureuse de Maryam enveloppe le petit garçon comme une caresse. Il n'en perd pas une note.

Parfois elle chante des mots que Yéshoua ne comprend pas. Il n'ose l'interrompre, lui demander ce que veut dire, par exemple, «miséricorde». Ce mot, sa mère le récite chaque matin au lever du jour:

«Je Te rends grâce, Seigneur, notre Dieu, roi de l'univers, qui par le pouvoir de ta miséricorde me restitue, vivante et constante, mon âme.»

Il ne sait pas bien non plus ce qu'est «l'univers» ou «l'âme». «Dieu», du moins, ne semble pas lui poser les mêmes difficultés : Il est d'où la lumière du soleil, la beauté de sa mère, l'amour en lui tirent leur source. Il est Celui qui sait tout ce qu'ignore une mère – et même la mère d'une mère. Il est la présence qui ne le quitte jamais.

M'écoute-t-il ? se demande Maryam lorsqu'elle enseigne les Psaumes à son fils. *Il a la tête ailleurs. À quoi songe-t-il ?* Les cent cinquante Psaumes, elle les connaît tous par cœur.

«Tu m'écoutes ? Tu comprends ? Passe-moi mon aiguille.»

Il la lui passe, sans un «oui» ni un «non».

«Tu veux en entendre un autre ? Lequel ? Ah, je sais. Patience, je cherche le début...»

Elle ferme les yeux, son aiguille s'immobilise. Puis les versets lui reviennent, imagés, rythmés, mélodieux.

Il reconnaît le Psaume, le huitième, celui de la création du ciel et de l'homme.

Dans la main de Maryam l'aiguille se ranime.

«Qu'est-ce que l'homme pour que Tu Te souviennes de lui, le fils d'un homme, que Tu en prennes souci ? Tu l'as fait presque dieu...»

À l'entendre et à la voir réciter, elle semble comme en transe. Légèrement les versets bercent son corps de gauche à droite et de droite à gauche. C'est pourquoi Yéshoua reste de marbre devant elle et ne fait pas le moindre bruit. Ne serait-ce qu'un éternuement ou un

hoquet, cela romprait le charme, et les paroles psalmo-
diées laisseraient place à un après-midi banal.

Chose curieuse, le garçon aime se faire tout petit,
se faire oublier. Bien des matins, au chant du coq, il se
confond avec la caravane de femmes parties chercher de
l'eau. Les robes l'entourent, l'effleurent, elles sentent
agréablement le bois de oud – celle de sa mère aussi,
il la suit à distance. Le puits se trouve à la lisière du
village. Se rassembler autour d'un puits loin des murs
et des maris, s'asseoir sur la margelle le temps que les
cruches en argile se remplissent, c'est l'occasion pour
ces femmes d'échanger des potins, des confidences.

«Il n'a pas toujours été un homme violent...

– L'argent nous échappe comme un mulot...

– On dit qu'elle l'aime. Quelle naïve ! Elle court à sa
perte...

– Le docteur n'a guère d'espoir mais qui sait ce que
demain nous réserve ?»

Il y a des larmes dans certains yeux.

Leur parole n'est pas que du vent. C'est un dévoi-
lement. Tous les secrets que les femmes dissimulent
ailleurs jaillissent ici de sous leurs robes volumineuses.
Yéshoua les écoute discrètement. Seul un petit garçon
comme lui, ou une fille, peut les approcher d'aussi près,
sans se faire remarquer. De fait, personne ne s'intéresse
à lui. Quand l'une des femmes surprend son regard, elle
se dit seulement qu'il accompagne Maryam. Et quand
il se penche par-dessus le puits, la même ébouriffe ses
cheveux d'un geste affectueux. Cependant, loin de lui

l'idée d'attirer ses faveurs ; s'il se penche ainsi, c'est qu'il ne peut chasser l'impression d'un écho profond, celui formé de tous les mots jamais lâchés et dont les pierres se souviennent.

Leur cruche sur la tête, les femmes s'en retournent au village. Elles marchent d'un pas lent, hésitant, que l'eau alourdit. Le garçon se lève et les rattrape. Dans l'ombre arrondie de sa mère, sa démarche est aussi digne et droite que la sienne.

★

Yéshoua a sept ans lorsqu'il commence l'école à la synagogue. En vérité, « synagogue » est un bien grand mot (grec de surcroît, les juifs ne l'utilisent jamais) pour parler du « foyer communal » au milieu du village. La salle de classe y est toute petite : quelques bancs et un maître barbu. Le nouvel élève apprend vite et, courbé sur sa tablette de cire, il trace et retrace au stylet en os les lettres de son nom, de droite à gauche : yod, shin, vav, ayin. « Dieu sauve ». Quel truc remarquable, l'alphabet, pense-t-il. D'ailleurs, chaque lettre de l'hébreu le fait songer à quelque chose : une hirondelle en plein vol ; une tige de blé ; une porte ouverte ; le dos d'un chameau. De sorte que, derrière les mots du maître qu'il recopie, il perçoit des scènes de vie entières. « Israël » : c'est son mot favori, comme un champ sous un ciel dégagé en plein été

Dans sa classe, il n'y a que des garçons. Tannés, les ongles noirs, comme leurs pères. Dociles comme des moutons devant le professeur, au-dehors ils redeviennent des boules d'énergie imprévisibles, ils rient et crient et courent. Les plus grands surplombent le nouveau du haut de leurs neuf ou dix ans. «Tu ne joues pas?» lui demandent-ils. Un large sourire découvre ses gencives roses et ses dents blanches. Alors, d'un seul bond, il se met à courir avec leur ballon farci de plumes de poule, et c'est à peine si ses camarades arrivent à le rattraper.

Un jour, le vacarme des garçons affole toute la rue. Qu'est-ce vous avez? Qu'est-ce qu'il se passe? crie Maryam qui les entend depuis la maison. Ils jouent aux centurions. Un grand garçon, les cheveux gris de poussière, s'arrête devant le portail pour lui répondre: «Il n'en fait qu'à sa tête.» Qui? demande la mère de Yéshoua. «Ton fils, dit le garçon. Il continue à bouger et ne veut pas faire le mort. Il a été tué mais il ne l'accepte pas.» Derrière eux s'élève une petite voix d'enfant, tremblotante: «Je ne suis pas mort. Je ne suis pas mort, je te l'ai dit! C'est bête comme jeu, on s'ennuie, je ne veux plus jouer.» Sur ce, le «mort» rentre chez lui.

Les jeux des garçons sont de plus en plus agressifs. C'est ce que veut l'époque troublée qui imprègne la vie des Galiléens; une ambiance extrêmement tendue règne sur toute la région, une violence qu'exacerbent des agitateurs zélotes remontés contre les colons romains. La bravoure de ces brigands les rend célèbres, tout le monde semble connaître leurs exploits: les maisons brûlées, le bétail volé, les poignards qui luisent dans la nuit. Parmi les camarades de Yéshoua, cela ne fait pas un pli : ils seront tous zélotes quand ils seront grands. Et pour commencer, ils lancent des pierres, brandissent avec ostentation, et à tout moment, leurs bâtonnets bien taillés, profèrent des insultes, des menaces contre ceux qui obéissent à l'État.

Yéshoua ne se reconnaît pas en eux. Élève studieux, il lit les Écritures, révise ses leçons qui parlent de rois, d'intrigues et de miracles. Puis les efface, pour en écrire de nouvelles, gravant ces mêmes caractères que sa mère ne saurait lire – et dont les combinaisons lui semblent infinies. Sa grande curiosité est encouragée par le maître. Pendant son temps libre, après le cours, ce dernier enseigne au jeune garçon un jeu de stratégie, ressemblant aux dames. En un rien de temps l'homme se trouve acculé, ses cailloux capturés.

« Je n'ai plus rien à t'apprendre », lui dira-t-il.

★

Une fois par an, pour la Pâque, Yosef, Maryam et Yéshoua se rendent à Jérusalem. Quelques cousins et voisins sont du voyage. Pour plus de sécurité, la caravane contourne les montagnes de Samarie, rejoint le Jourdain par les plaines pour descendre tout droit sur Jéricho. Le soir, après avoir monté leur camp, ils se partagent les vivres et Maryam envoie le garçon gonfler d'eau de source les outres devenues aussi plates que des semelles. Sur des nattes, ils passent plusieurs nuits à la belle étoile. Le pays renaît en ce mois de Nissan : le doux soleil de printemps réchauffe la terre, les champs s'habillent de coquelicots, les oiseaux pépient. De Jéricho, il leur faut la journée pour gravir une dernière route en pente raide. Ils l'attaquent de bonne heure. C'est une longue route pierreuse, qui monte en lacets. Au fur et mesure de leur avancée, les rangs grossissent de passants. Tout le monde se dirige vers une destination commune. Et bientôt, la Vieille Ville grouille de ses pèlerins.

Les autorités voient d'un mauvais œil ces foules denses qui envahissent les rues. La main sur son épée, un jeune soldat romain guette le moindre signe de débordement et songe : «Tous ces barbus ! Ils s'accrochent à leurs coutumes et tournent le dos à nos dieux. Mais on n'est plus à l'époque du Pharaon. On leur apporte la paix, le progrès, et quoi ? Ils font leurs difficiles ! Qu'ils paient leurs impôts et se tiennent tranquilles, surtout !» Au garçon maigre âgé de douze ans qui passe sous ses yeux, il ne prête pas la moindre attention.

L'excitation dilate le cœur de Yéshoua. Il se glisse dans le Temple et se joint à un groupe de sages. Encerclés par leurs auditeurs, de vieux hommes assis dissertent, argumentent, élucident les subtilités de la Loi. C'est à qui donnera le plus savant exposé, épatera le plus la galerie. Le garçon les interroge à son tour. D'abord, leur ton est condescendant, leur vocabulaire simple. Puis, les réponses s'allongent, se ramifient, ils perdent le fil, bredouillent, tentent de se reprendre, pour finir muets de stupeur.

★

Yéshoua est désormais en âge de porter des poutres. Ce n'est plus un enfant. La ville de Sepphoris où Yosef l'emmène chaque matin, à une heure de marche de Nazareth, est en pleine construction. Il est saisi par l'architecture grecque des bâtiments, l'étendue des chantiers, le bourdonnement polyglotte de la main-d'œuvre.

«Regarde ce mur, dit Yosef à son apprenti. Il a été construit par des journaliers qui s'y prenaient mal. Les pierres n'y sont pas harmonieuses. Autant de mains, autant de styles. Celui qui travaille la pierre, comme le bois, se doit de se concentrer.

– Je le ferai, dit Yéshoua.

– Et cette pierre blanche que voici. Qu'est-ce que tu en penses?

– Elle est de taille moyenne et plutôt allongée.

– Bien. Il faut l'interpréter, la trier. Chacune est unique. Chacune a sa place. Avec l'expérience, cela se sent.»

Yéshoua se souvient des beaux murs lisses du Temple.

En quelques mois, il prend du muscle; les maux de dos, de bras, d'abord pénibles, finissent par s'estomper. À chaque cri de «bloc!» ou «colonne!» ou «dalle!» ou «poutre!», il s'exécute avec alacrité. Il comprend même tout du jargon du contremaître: «Daleth, dalle, là!»

Il travaille tous les jours sauf le septième, le chabbat.

Et lorsque rentrent à la maison le maître et son apprenti, tout semble les émouvoir: les odeurs de la cuisine, la lumière de la lampe, la silhouette de la femme qui les attend. La faim rend toujours délicieux le dîner de lentilles à l'aneth, ou de pois chiches, que leur a préparé Maryam. Puis, la torpeur tombe sur leurs paupières et ils s'effondrent sur leurs couches. Yéshoua prend une inspiration ronflante, juste le temps de terminer sa prière : «Délivre-moi des inclinations pernicieuses et des maladies mortelles et fais que je ne sois pas troublé par de mauvais rêves et de mauvaises pensées, et que je ne rêve pas à la Mort», et il s'endort.

Il a des rêves que ne fabrique nul autre corps.

Et lorsque au petit matin il se réveille et bâille et frotte ses grands yeux, pendant ces quelques secondes qu'il faut à chacun pour se rajuster entre deux mondes, Sepphoris lui semble aussi loin que la Voie lactée. Reprenant ses esprits, il s'empresse de fourrer ses orteils entre les lanières de ses sandales et de regagner la ville. Parfois il se dit qu'il pourrait passer toute sa vie comme Yosef, à se donner des ampoules aux paumes et des échardes aux doigts. Pourtant, aussi, une partie de lui croit obscurément qu'une autre vie est possible. C'est ce qu'il ressent de plus en plus dans cette ville riche et animée qui a tout d'un monde nouveau : mosaïques, aqueducs, théâtre.

Il assiste à ses premières pièces, d'abord par curiosité puis par fascination. Depuis les gradins à moitié vides, il fixe les masques colorés à l'abri desquels se pavanent, gesticulent et crient les *hypocrites* – ainsi appelle-t-on en grec les comédiens. Leur langue devient peu à peu la sienne, ses oreilles s'habituent aux sons exotiques des répliques.

Au chantier, il parle un mélange d'araméen, de grec et d'hébreu. Cela lui vient tout naturellement, il ne s'en rend pas compte.

★

À Nazareth, lorsqu'on dit « fils du charpentier » ou « fils du maçon », on ne veut jamais parler des fils du charpentier Levi, fournisseur de jougs et de charrues, ni de ceux du maçon Reuven, qui a bâti la moitié du village, mais uniquement de l'enfant élevé par Yosef. Cet homme de la lignée du roi David, respecté de tous. Le jour de sa mort Yéshoua perd plus qu'un maître, il perd aussi son protecteur. Celui-là même qui, vingt ans plus tôt, avait pris une jeune femme enceinte sous l'aile de sa réputation. Dès lors, le fruit de ces entrailles passe brutalement aux yeux de tous pour un mal né impur. Il devient un paria qui ne se mariera jamais, ne fondera aucune famille.

Même s'il sait que la veuve se fait du mauvais sang pour lui, même s'il devine qu'elle prend à son compte la honte censée le toucher, Yéshoua ne le montre jamais. Il fourre ses outils dans sa sacoche et part chaque matin pour Sepphoris, comme si de rien n'était.

Les soirs où il ne rentre pas, il les passe seul sur les rives du lac de Génésareth. Des hommes partent y pêcher pendant la nuit. Un matin, il se réveille sur le sable mouillé. Les barques ont pris terre. Une odeur appétissante de poisson. Difficilement, il se fraye un passage entre les filets qui sèchent. Personne ne le connaît par ici, on lui offre à manger. Il se lave et ne sent plus sur lui la sciure. Pour la dernière fois, il pourrait être n'importe qui.

Les peintres des siècles à venir le représenteront de grande taille, le teint clair, les cheveux fins et longs. Ses contemporains ne l'auraient pas reconnu : il est plutôt de taille moyenne, le visage brun, les cheveux noirs épais. Plus tout à fait jeune : trente ans (l'air d'en avoir dix de plus). Longtemps il s'est demandé ce que cela ferait d'atteindre cet âge. Comme s'il attendait ce moment depuis sa venue au monde.

Impatients, ses pieds longent le fleuve qui coule vers la mer Morte. Puis s'arrêtent devant l'homme pieux qu'il cherche depuis ce matin, un homme connu pour prêcher l'immersion. Doucement Yéshoua s'enfonce dans l'eau, dans ce courant bleuté qui reflète le soleil – à croire qu'il entre dans le ciel ; et, à mesure qu'il avance, il sent l'eau tiède tirer sur les franges de sa tunique puis l'envelopper jusqu'aux hanches, jusqu'à la taille. Un instant, on lui plonge la tête sous l'eau, et lorsqu'il en ressort dans les vives couleurs du jour tout son être rayonne.

*

Après s'être retiré un temps dans le désert, il retourne au village et commence à faire parler de lui. Haut et fort, il annonce l'avènement du royaume de Dieu. Mais personne ne le prend au sérieux. Il ne fait pas bon être un prêcheur à Nazareth, on en a tellement vu par ici, des prêcheurs ambulants en quête de pain et de public, gueulards échevelés, aux sermons véhéments, qu'on se moque de lui, on le houspille, le tarabuste : arrête avec tes histoires de royaume de Dieu! Pauvre fou!

L'accueil est bien meilleur chez les pêcheurs. Assis sur un sol jonché d'écailles et de copeaux, certains sont occupés à raboter du bois de rebut, d'autres à discuter du prix du lin pour les filets, et tous s'arrêtent, prêtant une oreille respectueuse, lorsque l'inconnu s'anime pour, d'une voix lente et calme, leur parler de justice. Il sait bien la misère qu'on leur paie, toujours moins depuis que le préfet s'appelle Pilate, et leur lance une question rhétorique, l'une de celles, brèves et percutantes, qu'il va répéter pendant les mois qui suivront : quel père parmi vous donnerait un serpent à son fils s'il vous demandait un poisson? Et ceux qui écoutent voient à quoi il fait référence, la petite pièce en bronze frappée d'une crosse qui ressemble à un serpent.

Un matin à l'aube, Yéshoua regarde accoster des barques vides; et, montant dans l'une d'elles, il demande au pêcheur ivre de fatigue de retourner encore une fois au large. L'homme hésite, soupire, s'exécute; l'eau se brise sous les coups de ses rames. Puis il jette ses filets comme un défi. Et voici que tout se met soudainement à bouillonner, un coup d'œil à bâbord révèle d'énormes bancs de poissons, partout les eaux scintillent de carpes, de tilapias. Alors que fait l'homme? Rien, pour ainsi dire. Il est pétrifié d'étonnement, et c'est l'habitude qui prend le relais, c'est l'habitude qui tire sur les filets qui débordent, l'habitude qui se bat avec le poids remuant et glissant, les ouïes qui coupent, tandis que des compagnons viennent vite en renfort, tellement la barque est pleine à craquer. L'homme, lui, tombe aux pieds de Yéshoua.

« Éloigne-toi de moi, dit le pêcheur, apeuré. Je suis un mauvais homme.

– Non, répond Yéshoua, embarrassé, il ne faut pas avoir peur. »

★

Ces mots, Yéshoua les répétera souvent.

Car, bâton à la main, il s'en va traverser villes et villages et, où qu'il aille, quoiqu'on en dise, sa personne intrigue, inspire, étonne. Bientôt son seul nom réunit des foules autour de lui : des vieux et des souffreteux, des mendiants, des âniers et des chameliers, des femmes, des servantes, des épileptiques, des prostituées, des étrangers, en un mot, des petites gens ainsi que des réprouvés. Tout ce triste monde, leurs vies malmenées, leurs espoirs ébréchés, le submerge. Que dois-je leur dire ? Un instant devant eux son courage flanche. Puis il se remet, se sent de nouveau happé par la vision d'une nouvelle vie, la vraie, sans faim ni crainte ni honte, où chacun aura sa dignité comme l'ont seulement les plus riches. Et cela à l'unique condition d'aimer sans condition. Parfois quand il s'interrompt, et qu'on entend dans le silence du soir un chameau gémir, un malade tousser, nul ne peut détacher son regard de ce qui s'accomplit : ses mains apaisent, guérissent. Elles en savent plus que ce qu'on pourrait imaginer.

C'est ainsi que la foule s'agrandit de jour en jour, hommes, femmes et enfants venant de toutes les régions alentour, de Samarie et de Pérée et d'Idumée, ayant entendu, colportées par les premiers disciples, des rumeurs de guérisons et d'autres miracles. Pourrait-il s'agir enfin du Messie, chuchote-t-on. Ou d'Élie revenu sur terre, ou d'un autre prophète ? Certains se le représentent tout en majesté, si bien que lorsqu'ils le découvrent, ils sont déçus : il n'existe guère de gouffre entre lui et les innombrables prêcheurs du désert, est-ce qu'il a seulement une deuxième tunique ? Il n'est ni grand, ni beau, ni imposant. Et que dire en outre de son accent nord-galiléen ? Il a été à bonne école, pensent les plus sceptiques, il est en fait le protégé de ces malins magiciens itinérants, et il veut nous rouler. Mais leurs soupçons ne se communiquent pas aux autres.

C'est que beaucoup en croient leurs yeux. Certes, il n'a guère l'air spécial comme cela, l'homme pauvrement vêtu qu'ils entourent de si près, mais dès qu'il ouvre la bouche, alors... un frisson de joie leur parcourt l'échine : il luit, il flamboie, il fulgure. Et cela en leur parlant de graines de moutarde, de brebis perdues, du dernier qui sera le premier et tant d'autres histoires qui devaient à jamais se graver dans leur mémoire. Parfois des mots drôles aussi : il a beaucoup d'humour, aime rire et faire rire. «Tu regardes la paille dans l'œil de ton frère ; et la poutre qui est dans ton œil, tu ne la remarques pas ?» Ce n'est pas un hasard si des enfants le suivent partout. Ou si leurs parents lui posent tout un tas de questions : il n'est pas de cœur, paraît-il, dont il ne connaisse les secrets.

Surtout, sa parole et le réel ne semblent faire qu'un. «Soyez purifiés», dit-il aux lépreux qui viennent vers lui, et ils le sont. «Prends ton brancard et rentre chez toi», dit-il au paralysé que quatre hommes lui apportent, et celui-ci rentre chez lui.

«Ne sais-tu pas ce qu'il a fait l'autre jour chez Ya'ir ? demande une dame à sa voisine. Non ? Tu connais sa fille ? Eh bien, il y a une semaine de ça, on l'a retrouvée au lit. Pauvre petite, elle ne respirait plus. Raide comme un bâton. On sentait déjà la froideur sur sa peau. Alors il est accouru, il a mis dehors les joueurs de flûte et leur mauvaise musique de deuil, s'est approché du cadavre de l'enfant et lui a murmuré : "Jeune fille, lève-toi." Je te le donne en mille, la gamine s'est levée ! Je l'ai vue depuis, oui, oui, et elle se porte comme un charme.»

Mais tandis que les multitudes se pressent, que leurs cris retentissent, des gens de bien – prêtres ou bureaucrates, à l'écart de tous – font grise mine. Quel cirque ! Quel mauvais goût ! Vivement que ça leur passe. Regardez-les : ces nabots qui grimpent aux sycomores pour mieux l'apercevoir ; ces femmes sans leurs maris qui rient à gorge déployée ; ces sauvageons qui courent de toutes parts. Et on ose appeler ça un homme de Dieu ! Pour qui se prend-il ? Sans parler de ces buveurs qui ont le vin bruyant, et de ces bandits qui nous soutirent l'impôt – une honte ! Même les fourmis ne mettent pas une patte là où ils passent.

Face au mépris, un sang d'indignation monte au visage de Yéshoua. Ceux-là font les dévots mais leurs prières ne sont que de pure forme ! Leurs débats interminables sur la loi mosaïque l'ennuient profondément. Nourrissez plutôt ceux qui ont faim ! Habillez ceux qui ont froid ! Accompagnez ceux qui sont seuls ! À force de répétition, sa voix s'éraille.

Il s'épuise, bien des fois il n'en peut plus. Que c'est grand un monde pour contenir autant de malheur ! De temps en temps il prêche depuis une nacelle, un peu éloigné du rivage, pour se préserver de la mêlée. Sa voix porte très bien sur l'eau.

★

Plusieurs fois il frôle l'arrestation. Sa parole dérange, on craint des soulèvements, surtout en cette période de Pâque. Comme chaque année, Yéshoua descend vers le sud avec cette fois-ci quelques compagnons. Ils mangent, boivent, dorment au gré des invitations. Près de Jérusalem une porte s'ouvre, une femme les invite à rompre le pain azyme. « Le royaume de Dieu » : elle en a beaucoup entendu parler. Sa vie n'a point été celle qu'elle aurait choisie. Par où viendra-t-il, ce royaume ?

demande-t-elle à son hôte. Celui-ci esquisse un sourire – toujours la même question! «Ici même.» Il finit
son vin. «Inutile de le chercher ailleurs.» Il fait un geste
d'inclusion.

«Le royaume est parmi vous.»

Un long silence. La femme s'excuse, puis disparaît,
et, lorsqu'elle revient, elle s'approche de Yéshoua, pose
des mains tremblantes sur ses cheveux desséchés par le
soleil, râpeux comme la broussaille, et verse d'un petit
vase d'albâtre une huile ambrée de nard pur. La pièce
s'emplit de l'odeur capiteuse. L'assistance grogne, quel
gaspillage! Échangée contre du pain, cette huile aurait
pu nourrir bien des pauvres. Yéshoua, lui, se laisse
pénétrer par la tendresse de cet acte gratuit.

En route pour la Vieille Ville, il verse des larmes –
de gratitude? de pitié? d'exténuation? Puis éponge sa
joue du dos de la main. Le soleil est déjà chaud. L'ânon
avance à petits pas. Son nom l'a visiblement précédé:
une cohue immense, chahutante, l'accueille. Jérusalem!

★

Plus que jamais les autorités sont nerveuses. Chaque
mot susurré par la foule leur semble dire «insurrection».
Les gardes ont l'épée facile. La perspective de la violence épouvante Yéshoua; il tente de calmer les esprits.
À ceux qui cherchent la bagarre il répond que la violence n'a jamais rien réglé. Vos victimes vous hante-
ront! Leur sang vous mangera!

Mais peu importe, les autorités préfèrent étouffer dans l'œuf ce «royaume de Dieu». Le seul royaume, c'est celui du grand Hérode! Qu'on vienne à bout de ce fauteur de troubles! Qu'on le traduise en justice – ainsi, on n'en parlera plus jamais.

L'obscurité descend. Et dans l'oliveraie où il s'allonge avec ses frères, Yéshoua sent un immense poids lui écraser le torse. Impossible de dormir. Le cœur battant, les paumes moites, il se met à prier. Il tremble, il transpire. Comment tout cela va-t-il donc se terminer? Il lève brusquement la tête. Un craquement de branches. Des soldats l'encerclent qui, lorsqu'il s'en aperçoit, le saisissent, lui qui n'a jamais touché à une mouche, n'a aucune dette à régler.

Une heure après, il ne sait plus où il se trouve. On lui voile le visage et on le roue de coups. «Alors, vas-y, fais le prophète! Dis-nous qui t'a frappé!» Puis on l'abandonne au noir et au froid d'une cellule. L'air fétide, prisonnier des murs épais, sent la peur et la panique des anciens détenus. Il s'accroupit; sa mère occupe son esprit. Quand il ne pleure pas toutes les larmes de son corps, une seule et même question le taraude: quel genre de fils a-t-il été pour elle? La question, il le note bien, est au passé.

Le matin on le livre au préfet. C'est un homme rondelet et aisément distrait qui lui demande, en grosse légume: «Alors toi, tu te prends pour le roi des juifs?»

Yéshoua hésite à répondre:

«C'est toi qui le dis.»

Le dialogue tourne court : le préfet a d'autres hommes à crucifier.

★

Ils sont nombreux à tendre le cou pour l'apercevoir au loin sur la colline, à le regarder à travers des doigts écartés : le condamné à mort. Ses compagnons sont déboussolés, les femmes se frappent la poitrine. Personne ne veut penser aux clous qui percent le corps nu et rouge là-haut – ces clous qu'on a martelés avec tout le poids d'un maillet –, mais chacun y pense pourtant. Les poumons martyrisés. Les affres de l'agonie. Ajouté à cela, les insultes des passants : « Qu'il se sauve lui-même ! »

Yéshoua ne les entend pas. Il n'entend plus rien. La douleur le secoue encore.

Un moineau survole l'étrange arbre desséché.

Le supplicié n'a plus mal. Bientôt, il ne respire plus.

★

Le jour d'après est un jour comme tous les autres : les bergers mènent paître leurs brebis ; le soleil brille encore ; dans les collines, des enfants jouent à cache-cache.

Toute seule chez elle, une femme se souvient du cadavre qu'elle a lavé, de l'âpreté du linceul avec lequel elle l'a enveloppé, de la fraîcheur du sépulcre. À l'aube, elle s'y rend pour se recueillir, et le trouve ouvert : vide sinon le linceul. Qu'a-t-on fait de « son » cadavre ?

Elle pleure celui qu'elle a si souvent suivi, celui qui allait transformer son existence – c'est ce qu'elle croyait. Elle n'était pas la seule.

«La paix soit sur toi!»
Est-ce qu'elle perd la tête?
«Il ne faut pas avoir peur.»
Elle court partout pour raconter aux autres la joie de cet instant. Un moment hors du monde, hors du temps, il y a deux mille ans – il y a une minute. Une minute ou deux mille ans, c'est pareil pour lui maintenant.

Et, portant si loin son œil qu'il surprend ton regard, il te sourit, à toi qui le contemples à travers mes yeux.

Table

L'EXEMPLAIRE QUE VOUS TENEZ ENTRE LES MAINS
A ÉTÉ RENDU POSSIBLE GRÂCE AU TRAVAIL DE TOUTE UNE ÉQUIPE

ÉDITION : Clotilde Meyer
ASSISTANT D'ÉDITION : Jérôme Tabet
CONCEPTION GRAPHIQUE ET COUVERTURE :
Raphaëlle Faguer et Jérôme Tabet
CORRECTION : Isabelle Paccalet et Vladimir Sichler
MISE EN PAGE : Soft Office
PHOTOGRAVURE : Les Artisans du Regard
FABRICATION : Marie Baird-Smith
COMMERCIAL : Pierre Bottura
COMMUNICATION : Isabelle Mazzaschi avec Axelle Vergeade
RELATIONS LIBRAIRES : Jean-Baptiste Noailhat

DIFFUSION : Élise Lacaze (Rue Jacob Diffusion),
Katia Berry (grand Sud-Est), François-Marie Bironneau
(Nord et Est), Charlotte Jeunesse (Paris et région parisienne),
Christelle Guilleminot et Pascal Hostein (grand Sud-Ouest), Laure
Sagot (grand Ouest), Diane Maretheu (coordination)
et Charlotte Knibiehly (ventes directes), avec Christine Lagarde
(Pro Livre), Béatrice Cousin et Laurence Demurger
(équipe Enseignes), Fabienne Audinet (LDS),
Bernadette Gildemyn et Richard Van Overbroeck (Belgique),
Nathalie Laroche et Alodie Auderset (Suisse),
Mansour Mezher (grand Export)

DISTRIBUTION : Hachette

DROITS FRANCE ET JURIDIQUE : Geoffroy Fauchier-Magnan
DROITS ÉTRANGERS : Sophie Langlais avec Anne Zunino
LIBRAIRIE : Laurence Zarra
ANIMATION : Sophie Quetteville
ENVOIS AUX JOURNALISTES ET LIBRAIRES : Vidal Ruiz Martinez
COMPTABILITÉ ET DROITS D'AUTEUR : Christelle Lemonnier, Camille
Breynaert et Christine Blaise
SERVICES GÉNÉRAUX : Isadora Monteiro Dos Reis

Achevé d'imprimer en France
par CPI Bussière à Saint-Amand-Montrond (Cher)
en décembre 2019.

ISBN : 979-10-375-0065-6
N° d'impression : 2048990
Dépôt légal : janvier 2020